ŒUVRES D'ALPHONSE DAUDET

LES AMOUREUSES.

Poèmes et Fantaisies, 1857-1861. (La double conversion. — Les aventures d'un Papillon et d'une Bête à bon Dieu. — Le roman du Chaperon-Rouge. — Les âmes du Paradis. — L'amour-trompette. — Les rossignols du cimetière).

LE PETIT CHOSE.

LETTRES DE MON MOULIN.

FROMONT JEUNE ET RISLER AÎNÉ.

CONTES DU LUNDI.

LE NABAB.

NUMA ROUMESTAN.

SAPHO.

SOUTIEN DE FAMILLE.

NOTES SUR LA VIE

THÉÂTRE

(1re série). La Dernière idole. — Les Absents. — L'Œillet Blanc. — Le Frère aîné. — Le Sacrifice. — L'Arlésienne.

(2e série). La Lutte pour la Vie. — L'Obstacle. — Numa Roumestan.

(3e série). Sapho. — Jack. — Le Nabab.

LE TRÉSOR D'ARLATAN.

CONTES CHOISIS.

Parus dans Le Livre de Poche :

LE PETIT CHOSE.

CONTES DU LUNDI.

TARTARIN SUR LES ALPES.

JACK.

ALPHONSE DAUDET

Lettres de mon moulin

FASQUELLE

A ma femme

AVANT-PROPOS

PAR-DEVANT maître Honorat Grapazi, notaire à la résidence de Pampérigouste,

« A comparu :

« Le sieur Gaspard Mitiflo, époux de Vivette Cornille, ménager au lieudit des Cigalières et y demeurant;

« Lequel par ces présentes a vendu et transporté sous les garanties de droit et de fait, et en franchise de toutes dettes, privilèges et hypothèques,

« Au sieur Alphonse Daudet, poète, demeurant à Paris, à ce présent et ce acceptant,

« Un moulin à vent et à farine, sis dans la vallée du Rhône, au plein cœur de Provence, sur une côte boisée de pins et de chênes verts; étant ledit moulin abandonné depuis plus de vingt années et hors d'état de moudre, comme il appert des vignes sauvages, mousses, romarins, et autres verdures parasites qui lui grimpent jusqu'au bout des ailes;

« Ce nonobstant, tel qu'il est et se comporte, avec sa grande roue cassée, sa plate-forme où l'herbe pousse dans les briques, déclare le sieur Daudet trouver ledit moulin à sa convenance et pouvant servir à ses travaux de poésie, l'accepte à ses risques et périls, et sans aucun recours contre le vendeur, pour cause de réparations qui pourraient y être faites.

« Cette vente a lieu en bloc moyennant le prix convenu, que le sieur Daudet, poète, a mis et déposé sur le bureau en espèces de cours, lequel prix a été de suite touché et retiré par le sieur Mitiflo, le tout à la vue des notaires et des témoins soussignés, dont quittance sous réserve.

« Acte fait à Pampérigouste, en l'étude Honorat, en présence de Francet Mamaï, joueur de fifre, et de Louiset dit le Quique, porte-croix des pénitents blancs;

« Qui ont signé avec les parties et le notaire après lecture... »

INSTALLATION

CE sont les lapins qui ont été étonnés!... Depuis si longtemps qu'ils voyaient la porte du moulin fermée, les murs et la plate-forme envahis par les herbes, ils avaient fini par croire que la race des meuniers était éteinte, et, trouvant la place bonne, ils en avaient fait quelque chose comme un quartier général, un centre d'opérations stratégiques : le moulin de Jemmapes des lapins... La nuit de mon arrivée, il y en avait bien, sans mentir, une vingtaine assis en rond sur la plate-forme, en train de se chauffer les pattes à un rayon de lune... Le temps d'entrouvrir une lucarne, frrt! voilà le bivouac en déroute, et tous ces petits derrières blancs qui détalent, la queue en l'air, dans le fourré. J'espère bien qu'ils reviendront.

Quelqu'un de très étonné aussi, en me voyant, c'est le locataire du premier, un vieux hibou sinistre, à la tête de penseur, qui habite le moulin depuis plus de vingt ans. Je l'ai trouvé dans la chambre du haut, immobile et droit sur l'arbre de couche, au milieu des plâtras, des tuiles tombées. Il m'a regardé un moment avec son œil rond; puis, tout effaré de ne pas me reconnaître, il s'est mis à faire : « Hou! hou! » et à secouer péniblement ses ailes grises de poussière; — ces diables de penseurs! ça ne se brosse jamais... N'importe! tel qu'il est, avec ses yeux clignotants et sa mine renfrognée, ce locataire silencieux me plaît encore mieux qu'un autre, et je me suis empressé de lui renouveler son bail. Il garde comme dans le passé tout le haut du moulin avec une entrée par le toit; moi je me réserve la pièce du bas, une petite pièce blanchie à la chaux, basse et voûtée comme un réfectoir₍ de couvent.

*

C'est de là que je vous écris, ma porte grande ouverte, au bon soleil.

Un joli bois de pins tout étincelant de lumière dégringole devant moi jusqu'au bas de la côte. A l'horizon, les Alpilles découpent leurs crêtes fines... Pas de bruit... A peine, de loin en loin, en son de filtre, un courlis dans les lavandes, un grelot de mules sur la route... Tout ce beau paysage provençal ne vit que par la lumière.

Et maintenant, comment voulez-vous que je le regrette, votre Paris bruyant et noir? Je suis si bien dans mon moulin! C'est si bien le coin que je cherchais, un petit coin parfumé et chaud, à mille lieues des journaux, des fiacres, du brouillard!... Et que de jolies choses autour de moi! Il y a à peine huit jours que je suis installé, j'ai déjà la tête bourrée d'impressions et de souvenirs... Tenez! pas plus tard qu'hier soir, j'ai assisté à la rentrée des troupeaux dans un *mas* (une ferme) qui est au bas de la côte, et je vous jure que je ne donnerais pas ce spectacle pour toutes les *premières* que vous avez eues à Paris cette semaine. Jugez plutôt.

Il faut vous dire qu'en Provence, c'est l'usage, quand viennent les chaleurs, d'envoyer le bétail dans les Alpes. Bêtes et gens passent cinq ou six mois là-haut, logés à la belle étoile, dans l'herbe jusqu'au ventre; puis, au premier frisson de l'automne, on redescend au *mas,* et l'on revient brouter bourgeoisement les petites collines grises que parfume le romarin... Donc hier soir les troupeaux rentraient. Depuis le matin, le portail attendait, ouvert à deux battants; les bergeries étaient pleines de paille fraîche. D'heure en heure on se disait : « Maintenant ils sont à Eyguières, maintenant au Paradou. » Puis, tout à coup, vers le soir, un grand cri : « Les voilà! et là-bas, au lointain, nous voyons le troupeau

s'avancer dans une gloire de poussière. Toute
la route semble marcher avec lui... Les vieux
béliers viennent d'abord, la corne en avant, l'air
sauvage; derrière eux le gros des moutons, les
mères un peu lasses, leurs nourrissons dans les
pattes; — les mules à pompons rouges portant
dans des paniers les agnelets d'un jour qu'elles
bercent en marchant; puis les chiens tout suants,
avec des langues jusqu'à terre, et deux grands
coquins de bergers drapés dans des manteaux de
cadis roux qui leur tombent sur les talons
comme des chapes.

Tout cela défile devant nous joyeusement et
s'engouffre sous le portail, en piétinant avec un
bruit d'averse... Il faut voir quel émoi dans la
maison. Du haut de leur perchoir, les gros paons
vert et or, à crête de tulle, ont reconnu les arri-
vants et les accueillent par un formidable coup
de trompette. Le poulailler, qui s'endormait, se
réveille en sursaut. Tout le monde est sur pied :
pigeons, canards, dindons, pintades. La basse-
cour est comme folle; les poules parlent de passer la nuit!... On dirait que chaque mouton a
rapporté dans sa laine, avec un parfum d'Alpe
sauvage, un peu de cet air vif des montagnes qui
grise et qui fait danser.

C'est au milieu de tout ce train que le troupeau gagne son gîte. Rien de charmant comme
cette installation. Les vieux béliers s'atten-

drissent en revoyant leur crèche. Les agneaux,
les tout petits, ceux qui sont nés dans le voyage
et n'ont jamais vu la ferme, regardent autour
d'eux avec étonnement.

Mais le plus touchant encore, ce sont les
chiens, ces braves chiens de berger, tout affai-
rés après leurs bêtes et ne voyant qu'elles dans
le *mas*. Le chien de garde a beau les appeler au
fond de sa niche : le seau du puits, tout plein
d'eau fraîche, a beau leur faire signe : ils ne
veulent rien voir, rien entendre, avant que le
bétail soit rentré, le gros loquet poussé sur la
petite porte à claire-voie, et les bergers attablés
dans la salle basse. Alors seulement ils consentent
à gagner le chenil, et là, tout en lapant leur
écuellée de soupe, ils racontent à leurs camarades de la ferme ce qu'ils ont fait là-haut dans
la montagne, un pays noir où il y a des loups et
de grandes digitales de pourpre pleines de rosée
jusqu'au bord.

LA DILIGENCE DE BEAUCAIRE

C'ÉTAIT le jour de mon arrivée ici. J'avais pris la diligence de Beaucaire, une bonne vieille patache qui n'a pas grand chemin à faire avant d'être rendue chez elle, mais qui flâne tout le long de la route, pour avoir l'air, le soir, d'arriver de très loin. Nous étions cinq sur l'impériale sans compter le conducteur.

D'abord un gardien de Camargue, petit homme trapu, poilu, sentant le fauve, avec de gros yeux pleins de sang et des anneaux d'argent aux oreilles; puis deux Beaucairois, un boulanger et son *gindre,* tous deux très rouges, très poussifs, mais des profils superbes, deux médailles romaines à l'effigie de Vitellius. Enfin, sur le devant, près d'un conducteur, un homme... non! une casquette, une énorme casquette en peau de lapin, qui ne disait pas grand-chose et regardait la route d'un air triste.

Tous ces gens-là se connaissaient entre eux et parlaient tout haut de leurs affaires, très libre-

ment. Le Camarguais racontait qu'il venait de
Nîmes, mandé par le juge d'instruction pour un
coup de fourche donné à un berger. On a le sang
vif en Camargue... Et à Beaucaire donc! Est-ce
que nos deux Beaucairois ne voulaient pas s'égor-
ger à propos de la Sainte Vierge? Il paraît que
le boulanger était d'une paroisse depuis longtemps vouée à la madone, celle que les Provençaux appellent la *bonne mère* et qui porte le petit Jésus dans ses bras; le gindre, au contraire,
chantait au lutrin d'une église toute neuve qui
s'était consacrée à l'Immaculée Conception, cette
belle image souriante qu'on représente les bras
pendants, les mains pleines de rayons. La querelle venait de là. Il fallait voir comme ces deux
bons catholiques se traitaient, eux et leurs ma-
dones :

« Elle est jolie, ton immaculée!

— Va-t'en donc avec ta bonne mère!

— Elle en a vu de grises, la tienne, en Pales-
tine!

— Et la tienne, hou! la laide!... Qui sait ce
qu'elle n'a pas fait... Demande plutôt à saint
Joseph. »

Pour se croire sur le port de Naples, il ne
manquait plus que de voir luire les couteaux, et
ma foi, je crois bien que ce beau tournoi théo-
logique se serait terminé par là si le conducteur
n'était pas intervenu.

« Laissez-nous donc tranquilles avec vos ma-
dones, dit-il en riant aux Beaucairois : tout ça,
c'est des histoires de femmes, les hommes ne
doivent pas s'en mêler. »

Là-dessus, il fit claquer son fouet d'un petit
air sceptique qui rangea tout le monde de son
avis.

La discussion était finie; mais le boulanger,
mis en train, avait besoin de dépenser le restant
de sa verve, et, se tournant vers la malheureuse
casquette, silencieuse et triste dans son coin, il
lui dit d'un air goguenard :

« Et ta femme, à toi, rémouleur?... Pour
quelle paroisse tient-elle? »

Il faut croire qu'il y avait dans cette phrase
une intention très comique, car l'impériale tout
entière partit d'un gros éclat de rire... Le rémouleur ne riait pas, lui. Il n'avait pas l'air d'entendre. Voyant cela, le boulanger se tourna de
mon côté :

« Vous ne la connaissez pas sa femme, monsieur? une drôle de paroissienne, allez! Il n'y en
a pas deux comme elle dans Beaucaire. »

Les rires redoublèrent. Le rémouleur ne bou-
gea pas; il se contenta de dire tout bas, sans lever
la tête :

« Tais-toi, boulanger. »

Mais ce diable de boulanger n'avait pas envie
de se taire, et il reprit de plus belle :

« Viédase! Le camarade n'est pas à plaindre
d'avoir une femme comme celle-là.. Pas moyen
de s'ennuyer un moment avec elle... Pensez
donc! une belle qui se fait enlever tous les six
mois, elle a toujours quelque chose à vous raconter quand elle revient... C'est égal, c'est un
drôle de petit ménage... Figurez-vous, monsieur,
qu'ils n'étaient pas mariés depuis un an, paf!
voilà la femme qui part en Espagne avec un
marchand de chocolat.

« Le mari reste seul chez lui à pleurer et à
boire... Il était comme fou. Au bout de quelque
temps, la belle est revenue dans le pays, habillée
en Espagnole, avec un petit tambour à grelots.
Nous lui disions tous :

« — Cache-toi; il va te tuer. »

« Ah! ben oui; la tuer... Ils se sont remis ensemble bien tranquillement, et elle lui a appris
à jouer du tambour de basque. »

Il y eut une nouvelle explosion de rires. Dans
son coin, sans lever la tête, le rémouleur mur-
mura encore :

« Tais-toi, boulanger. »

Le boulanger n'y prit pas garde et continua :

« Vous croyez peut-être, monsieur, qu'après
son retour d'Espagne la belle s'est tenue tran-

quille... Ah! mais non... Son mari avait si bien
pris la chose! Ça lui a donné envie de recom-
mencer... Après l'Espagnol, ç'a été un officier,
puis un marinier du Rhône, puis un musicien,
puis un... Est-ce que je sais? Ce qu'il y a de bon,
c'est que chaque fois c'est la même comédie. La
femme part, le mari pleure; elle revient, il se
console. Et toujours on la lui enlève, et toujours il la reprend... Croyez-vous qu'il a de la
patience, ce mari-là! Il faut dire aussi qu'elle est
crânement jolie, la petite rémouleuse... un vrai
morceau de cardinal : vive, mignonne, bien rou-
lée; avec ça, une peau blanche et des yeux couleur de noisette qui regardent toujours les
hommes en riant... Ma foi! mon Parisien, si vous
repassez jamais par Beaucaire...

— Oh! tais-toi, boulanger, je t'en prie... » fit
encore une fois le pauvre rémouleur avec une
expression de voix déchirante.

A ce moment, la diligence s'arrêta. Nous
étions au *mas* des Anglores. C'est là que les deux
Beaucairois descendaient, et je vous jure que je
ne les retins pas... Farceur de boulanger! Il était
dans la cour du *mas* qu'on l'entendait rire encore.

●

Ces gens-là partis, l'impériale sembla vide. On
avait laissé le Camarguais à Arles; le conducteur

marchait sur la route à côté de ses chevaux...
Nous étions seuls là-haut, le rémouleur et moi,
chacun dans notre coin, sans parler. Il faisait
chaud; le cuir de la capote brûlait. Par moments, je sentais mes yeux se fermer et ma tête
devenir lourde; mais impossible de dormir.
J'avais toujours dans les oreilles ce « Tais-toi, je
t'en prie », si navrant et si doux... Ni lui non
plus, le pauvre homme! il ne dormait pas. De
derrière, je voyais ses grosses épaules frissonner,
et sa main —, une longue main blafarde et bête,
— trembler sur le dos de la banquette, comme
une main de vieux. Il pleurait...

« Vous voilà chez vous, Parisien! » me cria
tout à coup le conducteur; et du bout de
son fouet il me montrait ma colline verte
avec le moulin piqué dessus comme un gros
papillon.

Je m'empressai de descendre. En passant près
du rémouleur, j'essayai de regarder sous sa casquette; j'aurais voulu le voir avant de partir.
Comme s'il avait compris ma pensée, le malheureux leva brusquement la tête, et, plantant son
regard dans le mien :

« Regardez-moi bien, l'ami, me dit-il d'une
voix sourde, et si un de ces jours vous apprenez
qu'il y a eu un malheur à Beaucaire, vous pour-
rez dire que vous connaissez celui qui a fait le
coup. »

C'était une figure éteinte et triste, avec de petits yeux fanés. Il y avait des larmes dans ces yeux, mais dans cette voix il y avait de la haine. La haine, c'est la colère des faibles!... Si j'étais rémouleuse, je me méfierais.

LE SECRET DE MAÎTRE CORNILLE

FRANCET MAMAÏ, un vieux joueur de fifre, qui vient de temps en temps faire la veillée chez moi, en buvant du vin cuit, m'a raconté l'autre soir un petit drame de village dont mon moulin a été témoin il y a quelque vingt ans. Le récit du bonhomme m'a touché, et je vais essayer de vous le redire tel que je l'ai entendu.

Imaginez-vous pour un moment, chers lecteurs, que vous êtes assis devant un pot de vin tout parfumé, et que c'est un vieux joueur de fifre qui vous parle.

Notre pays, mon bon monsieur, n'a pas toujours été un endroit mort et sans refrains comme il est aujourd'hui. Auparavant, il s'y faisait un grand commerce de meunerie, et, dix lieues à la ronde, les gens des *mas* nous apportaient leur blé à moudre... Tout autour du village, les collines étaient couvertes de moulins à vent. De droite et de gauche, on ne voyait que des ailes qui viraient au mistral par-dessus les pins, des ribambelles de petits ânes chargés de sacs, montant et dévalant le long des chemins; et toute la semaine c'était plaisir d'entendre sur la hauteur le bruit des fouets, le craquement de la toile et le *Dia hue!* des aides-meuniers... Le dimanche nous allions aux moulins, par bandes. Là-haut, les meuniers payaient le muscat. Les meunières étaient belles comme des reines, avec leurs fichus de dentelles et leurs croix d'or. Moi, j'apportais mon fifre, et jusqu'à la noire nuit on dansait des farandoles. Ces moulins-là, voyez-vous, faisaient la joie et la richesse de notre pays.

Malheureusement, des Français de Paris eurent l'idée d'établir une minoterie à vapeur, sur la route de Tarascon. Tout beau, tout nouveau! Les gens prirent l'habitude d'envoyer leurs blés aux minotiers, et les pauvres moulins à vent restèrent sans ouvrage. Pendant quelque temps ils essayèrent de lutter, mais la vapeur fut la plus forte, et l'un après l'autre, *pécaïre!* ils furent tous obligés de fermer... On ne vit plus venir les petits ânes... Les belles meunières vendirent leurs croix d'or... Plus de muscat! Plus de farandole!... Le mistral avait beau souffler, les ailes restaient immobiles... Puis, un beau jour, la commune fit jeter toutes ces masures à bas, et l'on sema à leur place de la vigne et des oliviers.

Pourtant, au milieu de la débâcle, un moulin

avait tenu bon et continuait de virer courageu-
sement sur sa butte, à la barbe des minotiers.
C'était le moulin de maître Cornille, celui-là
même où nous sommes en train de faire la
veillée en ce moment.

*

Maître Cornille était un vieux meunier, vivant depuis soixante ans dans la farine et enragé
pour son état. L'installation des minoteries
l'avait rendu comme fou. Pendant huit jours,
on le vit courir par le village, ameutant tout le
monde autour de lui et criant de toutes ses
forces qu'on voulait empoisonner la Provence
avec la farine des minotiers. « N'allez pas là-bas,
disait-il; ces brigands-là, pour faire le pain, se
servent de la vapeur, qui est une invention du
diable, tandis que moi je travaille avec le mistral et la tramontane, qui sont la respiration du
bon Dieu... » Et il trouvait comme cela une
foule de belles paroles à la louange des moulins
à vent, mais personne ne les écoutait.

Alors, de male rage, le vieux s'enferma dans
son moulin et vécut tout seul comme une bête
farouche. Il ne voulut pas même garder près de
lui sa petite-fille Vivette, une enfant de quinze
ans, qui, depuis la mort de ses parents, n'avait
plus que son *grand* au monde. La pauvre petite

fut obligée de gagner sa vie et de se louer un
peu partout dans les *mas,* pour la moisson, les
magnans ou les olivades. Et pourtant son grand-
père avait l'air de bien l'aimer, cette enfant-là.
Il lui arrivait souvent de faire ses quatre lieues
à pied par le grand soleil pour aller la voir au
mas où elle travaillait, et quand il était près
d'elle, il passait des heures entières à la regarder
en pleurant...

Dans le pays on pensait que le vieux meunier,
en renvoyant Vivette, avait agi par avarice; et
cela ne lui faisait pas honneur de laisser sa petite-fille ainsi traîner d'une ferme à l'autre, ex-
posée aux brutalités des *vaïles,* et à toutes les
misères des jeunesses en condition. On trouvait
très mal aussi qu'un homme du renom de maître
Cornille, et qui, jusque-là, s'était respecté, s'en
allât maintenant par les rues comme un vrai
bohémien, pieds nus, le bonnet troué, la taillole
en lambeaux... Le fait est que le dimanche,
lorsque nous le voyions entrer à la messe, nous
avions honte pour lui, nous autres les vieux; et
Cornille le sentait si bien qu'il n'osait plus venir
s'asseoir sur le banc d'œuvre. Toujours il restait
au fond de l'église, près du bénitier, avec les
pauvres.

Dans la vie de maître Cornille il y avait
quelque chose qui n'était pas clair. Depuis
longtemps personne, au village, ne lui portait

plus de blé, et pourtant les ailes de son moulin
allaient toujours leur train comme devant... Le
soir, on rencontrait par les chemins le vieux
meunier poussant devant lui son âne chargé de
gros sacs de farine.

« Bonnes vêpres, maître Cornille! lui criaient
les paysans; ça va donc toujours, la meunerie?

— Toujours, mes enfants, répondait le vieux
d'un air gaillard. Dieu merci, ce n'est pas l'ouvrage qui nous manque. »

Alors, si on lui demandait d'où diable pouvait
venir tant d'ouvrage, il se mettait un doigt sur
les lèvres et répondait gravement : « *Motus!* je
travaille pour l'exportation... » Jamais on n'en
put tirer davantage.

Quant à mettre le nez dans son moulin, il
n'y fallait pas songer. La petite Vivette elle-
même n'y entrait pas...

Lorsqu'on passait devant, on voyait la porte
toujours fermée, les grosses ailes toujours en
mouvement, le vieil âne broutant de gazon de
la plate-forme, et un grand chat maigre qui
prenait le soleil sur le rebord de la fenêtre et
vous regardait d'un air méchant.

Tout cela sentait le mystère et faisait beaucoup jaser le monde. Chacun expliquait à sa
façon le secret de maître Cornille, mais le bruit
général était qu'il y avait dans ce moulin-là encore plus de sacs d'écus que de sacs de farine.

A la longue pourtant tout se découvrit; voici comment :

En faisant danser la jeunesse avec mon fifre, je m'aperçus un beau jour que l'aîné de mes garçons et la petite Vivette s'étaient rendus amoureux l'un de l'autre. Au fond je n'en fus pas fâché, parce qu'après tout le nom de Cornille était en honneur chez nous, et puis ce joli petit passereau de Vivette m'aurait fait plaisir à voir trotter dans ma maison. Seulement, comme nos amoureux avaient souvent occasion d'être ensemble, je voulus, de peur d'accidents, régler l'affaire tout de suite, et je montai jusqu'au moulin pour en toucher deux mots au grand-père... Ah! le vieux sorcier! il faut voir de quelle manière il me reçut! Impossible de lui faire ouvrir sa porte. Je lui expliquai mes raisons tant bien que mal, à travers le trou de la serrure; et tout le temps que je parlais, il y avait ce coquin de chat maigre qui soufflait comme un diable au-dessus de ma tête.

Le vieux ne me donna pas le temps de finir, et me cria fort malhonnêtement de retourner à ma flûte; que, si j'étais pressé de marier mon garçon, je pouvais bien aller chercher des filles à la minoterie... Pensez que le sang me montait d'entendre ces mauvaises paroles; mais j'eus tout de même assez de sagesse pour me contenir,

et, laissant ce vieux fou à sa meule, je revins
annoncer aux enfants ma déconvenue... Ces pauvres agneaux ne pouvaient pas y croire; ils me
demandèrent comme une grâce de monter tous
deux ensemble au moulin, pour parler au grand-
père... Je n'eus pas le courage de refuser, et
prrt! voilà mes amoureux partis.

Tout juste comme ils arrivaient là-haut,
maître Cornille venait de sortir. La porte était
fermée à double tour; mais le vieux bonhomme,
en partant, avait laissé son échelle dehors, et
tout de suite l'idée vint aux enfants d'entrer par
la fenêtre, voir un peu ce qu'il y avait dans ce
fameux moulin...

Chose singulière! la chambre de la meule était
vide... Pas un sac, pas un grain de blé; pas la
moindre farine aux murs ni sur les toiles d'arai-
gnée... On ne sentait pas même cette bonne
odeur chaude de froment écrasé qui embaume
dans les moulins... L'arbre de couche était couvert de poussière, et le grand chat maigre dormait dessus.

La pièce du bas avait le même air de misère
et d'abandon : un mauvais lit, quelques guenilles, un morceau de pain sur une marche d'escalier, et puis dans un coin trois ou quatre sacs
crevés d'où coulaient des gravats et de la terre
blanche.

C'était là le secret de maître Cornille! C'était

ce plâtras qu'il promenait le soir par les routes, pour sauver l'honneur du moulin et faire croire qu'on y faisait de la farine... Pauvre moulin! Pauvre Cornille! Depuis longtemps les minotiers leur avaient enlevé leur dernière pratique. Les ailes viraient toujours, mais la meule tournait à vide.

Les enfants revinrent tout en larmes, me conter ce qu'ils avaient vu. J'eus le cœur crevé de les entendre... Sans perdre une minute, je courus chez les voisins, je leur dis la chose en deux mots, et nous convînmes qu'il fallait, sur l'heure, porter au moulin de Cornille tout ce qu'il y avait de froment dans les maisons... Sitôt dit, sitôt fait. Tout le village se met en route, et nous arrivons là-haut avec une procession d'ânes chargés de blé —, du vrai blé, celui-là!

Le moulin était grand ouvert... Devant la porte, maître Cornille, assis sur un sac de plâtre, pleurait, la tête dans ses mains. Il venait de s'apercevoir, en rentrant, que pendant son absence on avait pénétré chez lui et surpris son triste secret.

« Pauvre de moi! disait-il. Maintenant, je n'ai plus qu'à mourir... Le moulin est déshonoré. »

Et il sanglotait à fendre l'âme, appelant son moulin par toutes sortes de noms, lui parlant comme à une personne véritable.

A ce moment les ânes arrivent sur la plate-

forme, et nous nous mettons tous à crier bien
fort comme au beau temps des meuniers :

« Ohé! du moulin!... Ohé! maître Cornille! »

Et voilà les sacs qui s'entassent devant la porte
et le beau grain roux qui se répand par terre,
de tous côtés...

Maître Cornille ouvrait de grands yeux. Il
avait pris du blé dans le creux de sa vieille
main et il disait, riant et pleurant à la fois :

« C'est du blé!... Seigneur Dieu!... Du bon
blé! Laissez-moi que je le regarde. »

Puis se tournant vers nous :

« Ah! je savais bien que vous me reviendriez...
Tous ces minotiers sont des voleurs. »

Nous voulions l'emporter en triomphe au village :

« Non, non, mes enfants; il faut avant tout
que j'aille donner à manger à mon moulin...
Pensez donc! il y a si longtemps qu'il ne s'est
rien mis sous la dent! »

Et nous avions tous des larmes dans les yeux
de voir le pauvre vieux se démener de droite et
de gauche, éventrant les sacs, surveillant la
meule, tandis que le grain s'écrasait et que la
fine poussière de froment s'envolait au plafond.

C'est une justice à nous rendre : à partir de
ce jour-là, jamais nous ne laissâmes le vieux
meunier manquer d'ouvrage. Puis, un matin,
maître Cornille mourut, et les ailes de notre

dernier moulin cessèrent de virer, pour toujours
cette fois... Cornille mort, personne ne prit sa
suite. Que voulez-vous, monsieur!... tout a une
fin en ce monde, et il faut croire que le temps
des moulins à vent était passé comme celui des
coches sur le Rhône, des parlements et des jaquettes à grandes fleurs.

LA CHÈVRE DE M. SEGUIN

A M. Pierre Gringoire, poète lyrique à Paris.

Tu seras bien toujours le même, mon pauvre Gringoire!

Comment! on t'offre une place de chroniqueur dans un bon journal de Paris, et tu as l'aplomb de refuser... Mais regarde-toi, malheureux garçon! Regarde ce pourpoint troué, ces chausses en déroute, cette face maigre qui crie la faim. Voilà pourtant où t'a conduit la passion des belles rimes! Voilà ce que t'ont valu dix ans de loyaux services dans les pages du sire Apollo... Est-ce que tu n'as pas honte, à la fin?

Fais-toi donc chroniqueur, imbécile! fais-toi chroniqueur! Tu gagneras de beaux écus à la rose, tu auras ton couvert chez Brébant, et tu pourras te montrer les jours de première avec une plume neuve à ta barrette...

Non? Tu ne veux pas? Tu prétends rester libre à ta guise jusqu'au bout... Eh bien, écoute un peu l'histoire de la *chèvre de M. Seguin* Tu verras ce que l'on gagne à vouloir vivre libre.

M. Seguin n'avait jamais eu de bonheur avec ses chèvres.

Il les perdait toutes de la même façon; un beau matin, elles cassaient leur corde, s'en allaient dans la montagne, et là-haut le loup les mangeait. Ni les caresses de leur maître, ni la peur du loup, rien ne les retenait. C'était, paraît-il, des chèvres indépendantes, voulant à tout prix le grand air et la liberté.

Le brave M. Seguin, qui ne comprenait rien au caractère de ses bêtes, était consterné. Il disait :

« C'est fini; les chèvres s'ennuient chez moi; je n'en garderai pas une. »

Cependant il ne se découragea pas, et, après avoir perdu six chèvres de la même manière, il en acheta une septième; seulement, cette fois, il eut soin de la prendre toute jeune, pour qu'elle s'habituât mieux à demeurer chez lui.

Ah! Gringoire, qu'elle était jolie la petite chèvre de M. Seguin! qu'elle était jolie avec ses yeux doux, sa barbiche de sous-officier, ses sabots noirs et luisants, ses cornes zébrées et ses longs poils blancs qui lui faisaient une houppelande! C'était presque aussi charmant que le

cabri d'Esméralda, tu te rappelles, Gringoire? —
et puis, docile, caressante, se laissant traire sans
bouger, sans mettre son pied dans l'écuelle. Un
amour de petite chèvre...

M. Seguin avait derrière sa maison un clos
entouré d'aubépines. C'est là qu'il mit la nouvelle pensionnaire. Il l'attacha à un pieu, au
plus bel endroit du pré, en ayant soin de lui
laisser beaucoup de corde, et de temps en temps
il venait voir si elle était bien. La chèvre se trouvait très heureuse et broutait l'herbe de si bon
cœur que M. Seguin était ravi.

« Enfin, pensait le pauvre homme, en voilà
une qui ne s'ennuiera pas chez moi! »

M. Seguin se trompait, sa chèvre s'ennuya.

Un jour, elle se dit en regardant la montagne :
« Comme on doit être bien là-haut! Quel plai
sir de gambader dans la bruyère, sans cette maudite longe qui vous écorche le cou!... C'est bon
pour l'âne ou pour le bœuf de brouter dans un
clos!... Les chèvres, il leur faut du large. »

A partir de ce moment, l'herbe du clos lui
parut fade. L'ennui lui vint. Elle maigrit, son
lait se fit rare. C'était pitié de la voir tirer tout
le jour sur sa longe, la tête tournée du côté de

la montagne, la narine ouverte, en faisant *Mé!*...
tristement.

M. Seguin s'apercevait bien que sa chèvre
avait quelque chose, mais il ne savait pas ce que
c'était... Un matin, comme il achevait de la
traire, la chèvre se retourna et lui dit dans son
patois :

« Ecoutez, monsieur Seguin, je me languis
chez vous, laissez-moi aller dans la montagne.

— Ah! mon Dieu!... Elle aussi! » cria M. Seguin stupéfait, et du coup il laissa tomber son
écuelle; puis, s'asseyant dans l'herbe à côté de
sa chèvre :

« Comment, Blanquette, tu veux me quitter! »
Et Blanquette répondit :

« Oui, monsieur Seguin.

— Est-ce que l'herbe te manque ici?

— Oh! non! monsieur Seguin.

— Tu es peut-être attachée de trop court,
veux-tu que j'allonge la corde?

— Ce n'est pas la peine, monsieur Seguin.

— Alors, qu'est-ce qu'il te faut? qu'est-ce que
tu veux?

— Je veux aller dans la montagne, monsieur Seguin.

— Mais, malheureuse, tu ne sais pas qu'il y
a le loup dans la montagne... Que feras-tu quand
il viendra?...

— Je lui donnerai des coups de corne, monsieur Seguin.

— Le loup se moque bien de tes cornes. Il m'a mangé des biques autrement encornées que toi... Tu sais bien, la pauvre vieille Renaude qui était ici l'an dernier? une maîtresse chèvre, forte et méchante comme un bouc. Elle s'est battue avec le loup toute la nuit... puis, le matin, le loup l'a mangée.

— Pécaïre! Pauvre Renaude!... Ça ne fait rien, monsieur Seguin, laissez-moi aller dans la montagne.

— Bonté divine!... dit M. Seguin; mais qu'est-ce qu'on leur fait donc à mes chèvres? Encore une que le loup va me manger... Eh bien, non... je te sauverai malgré toi, coquine! et de peur que tu ne rompes ta corde, je vais t'enfermer dans l'étable, et tu y resteras toujours. »

Là-dessus, M. Seguin emporta la chèvre dans une étable toute noire, dont il ferma la porte à double tour. Malheureusement, il avait oublié la fenêtre, et à peine eut-il le dos tourné, que la petite s'en alla...

Tu ris, Gringoire? Parbleu! je crois bien; tu es du parti des chèvres, toi, contre ce bon M. Seguin... Nous allons voir si tu riras tout à l'heure.

Quand la chèvre blanche arriva dans la montagne, ce fut un ravissement général. Jamais les vieux sapins n'avaient rien vu d'aussi joli.

On la reçut comme une petite reine. Les châ-
taigniers se baissaient jusqu'à terre pour la cares-
ser du bout de leurs branches. Les genêts d'or
s'ouvraient sur son passage, et sentaient bon tant
qu'ils pouvaient. Toute la montagne lui fit fête.

Tu penses, Gringoire, si notre chèvre était
heureuse! Plus de corde, plus de pieu... rien qui
l'empêchât de gambader, de brouter à sa guise...
C'est là qu'il y en avait de l'herbe! jusque par-
dessus les cornes, mon cher!... Et quelle herbe!
Savoureuse, fine, dentelée, faite de mille plan-
tes... C'était bien autre chose que le gazon du
clos. Et les fleurs donc!... De grandes campanules
bleues, des digitales de pourpre à longs calices,
toute une forêt de fleurs sauvages débordant de
sucs capiteux!...

La chèvre blanche, à moitié soûle, se vautrait
là-dedans les jambes en l'air et roulait le long
des talus, pêle-mêle avec les feuilles tombées
et les châtaignes... Puis, tout à coup, elle se re-
dressait d'un bond sur ses pattes. Hop! la voilà
partie, la tête en avant, à travers les maquis et
les buissières, tantôt sur un pic, tantôt au fond
d'un ravin, là-haut, en bas, partout... On aurait
dit qu'il y avait dix chèvres de M. Seguin dans
la montagne

C'est qu'elle n'avait peur de rien, la Blanquette.

Elle franchissait d'un saut de grands torrents

qui l'éclaboussaient au passage de poussière
humide et d'écume. Alors, toute ruisselante, elle
allait s'étendre sur quelque roche plate et se
faisait sécher par le soleil... Une fois, s'avançant
au bord d'un plateau, une fleur de cytise aux
dents, elle aperçut en bas, tout en bas dans la
plaine, la maison de M. Seguin avec le clos
derrière. Cela la fit rire aux larmes.

« Que c'est petit! dit-elle; comment ai-je pu
tenir là-dedans? »

Pauvrette! de se voir si haut perchée, elle
se croyait au moins aussi grande que le monde...

En somme, ce fut une bonne journée pour la
chèvre de M. Seguin. Vers le milieu du jour,
en courant de droite et de gauche, elle tomba
dans une troupe de chamois en train de croquer
une lambrusque à belles dents. Notre petite
coureuse en robe blanche fit sensation. On lui
donna la meilleure place à la lambrusque, et
tous ces messieurs furent très galants... Il paraît
même, — ceci doit rester entre nous, Gringoire,
— qu'un jeune chamois à pelage noir eut la
bonne fortune de plaire à Blanquette. Les deux
amoureux s'égarèrent parmi le bois une heure
ou deux, et si tu veux savoir ce qu'ils dirent,
va le demander aux sources bavardes qui courent
invisibles dans la mousse.

Tout à coup le vent fraîchit. La montagne devint violette; c'était le soir.

« Déjà! » dit la petite chèvre; et elle s'arrêta fort étonnée.

En bas, les champs étaient noyés de brume. Le clos de M. Seguin disparaissait dans le brouillard, et de la maisonnette on ne voyait plus que le toit avec un peu de fumée. Elle écouta les clochettes d'un troupeau qu'on ramenait, et se sentit l'âme toute triste... Un gerfaut, qui rentrait, la frôla de ses ailes en passant. Elle tressaillit... puis ce fut un hurlement dans la montagne :

« Hou! hou! »

Elle pensa au loup; de tout le jour la folle n'y avait pas pensé... Au même moment une trompe sonna bien loin dans la vallée. C'était ce bon M. Seguin qui tentait un dernier effort.

« Hou! hou!... faisait le loup.

— Reviens! reviens!... » criait la trompe.

Blanquette eut envie de revenir; mais en se rappelant le pieu, la corde, la haie du clos, elle pensa que maintenant elle ne pouvait plus se faire à cette vie, et qu'il valait mieux rester.

La trompe ne sonnait plus...

La chèvre entendit derrière elle un bruit de

feuilles. Elle se retourna et vit dans l'ombre deux oreilles courtes, toutes droites, avec deux yeux qui reluisaient... C'était le loup.

Enorme, immobile, assis sur son train de derrière, il était là regardant la petite chèvre blanche et la dégustant par avance. Comme il savait bien qu'il la mangerait, le loup ne se pressait pas; seulement, quand elle se retourna, il se mit à rire méchamment.

« Ha! ha! la petite chèvre de M. Seguin »; et il passa sa grosse langue rouge sur ses babines d'amadou.

Blanquette se sentit perdue... Un moment, en se rappelant l'histoire de la vieille Renaude, qui s'était battue toute la nuit pour être mangée le matin, elle se dit qu'il vaudrait peut-être mieux se laisser manger tout de suite; puis, s'étant ravisée, elle tomba en garde, la tête basse et la corne en avant, comme une brave chèvre de M. Seguin qu'elle était... Non pas qu'elle eût l'espoir de tuer le loup, — les chèvres ne tuent pas le loup, — mais seulement pour voir si elle pourrait tenir aussi longtemps que la Renaude...

Alors le monstre s'avança, et les petites cornes entrèrent en danse.

Ah! la brave chevrette, comme elle y allait

de bon cœur! Plus de dix fois, je ne mens pas,
Gringoire, elle força le loup à reculer pour
reprendre haleine. Pendant ces trêves d'une
minute, la gourmande cueillait en hâte encore
un brin de sa chère herbe; puis elle retournait
au combat, la bouche pleine... Cela dura toute
la nuit. De temps en temps la chèvre de
M. Seguin regardait les étoiles danser dans le
ciel clair, et elle se disait :

« Oh! pourvu que je tienne jusqu'à l'aube... »

L'une après l'autre, les étoiles s'éteignirent.
Blanquette redoubla de coups de cornes, le loup
de coups de dents... Une lueur pâle parut dans
l'horizon... Le chant du coq enroué monta d'une
métairie.

« Enfin! » dit la pauvre bête, qui n'attendait
plus que le jour pour mourir; et elle s'allongea
par terre dans sa belle fourrure blanche toute
tachée de sang...

Alors le loup se jeta sur la petite chèvre et
la mangea.

●

Adieu Gringoire!

L'histoire que tu as entendue n'est pas un
conte de mon invention. Si jamais tu viens en
Provence, nos ménagères te parleront souvent
de la *cabro de moussu Seguin, que se battégue*

*touto la neui emé lou loup, e piei lou matin
lou loup la mangé* [1]

Tu m'entends bien, Gringoire.

E piei lou matin lou loup la mangé.

---

[1]. La chèvre de monsieur Seguin, qui se battit toute la nuit
avec le loup, et puis, le matin, le loup la mangea.

LES ÉTOILES

Du temps que je gardais les bêtes sur le Lube-
ron, je restais des semaines entières sans voir
âme qui vive, seul dans le pâturage avec mon
chien Labri et mes ouailles. De temps en temps
l'ermite du Mont-de-l'Ure passait par là pour
chercher des simples ou bien j'apercevais la face
noire de quelque charbonnier du Piémont; mais
c'étaient des gens naïfs, silencieux à force de
solitude, ayant perdu le goût de parler et ne
sachant rien de ce qui se disait en bas dans les
villages et les villes. Aussi, tous les quinze jours,
lorsque j'entendais, sur le chemin qui monte,
les sonnailles du mulet de notre ferme m'appor-
tant les provisions de quinzaine, et que je voyais
apparaître peu à peu, au-dessus de la côte, la
tête éveillée du petit *miarro* (garçon de ferme)
ou la coiffe rousse de la vieille tante Norade,
j'étais vraiment bien heureux. Je me faisais raconter les nouvelles du pays d'en bas, les bap-
têmes, les mariages; mais ce qui m'intéressait

surtout, c'était de savoir ce que devenait la fille
de mes maîtres, notre demoiselle Stéphanette,
la plus jolie qu'il y eût à dix lieues à la ronde.
Sans avoir l'air d'y prendre trop d'intérêt, je
m'informais si elle allait beaucoup aux fêtes,
aux veillées, s'il lui venait toujours de nouveaux
galants; et à ceux qui me demanderont ce que
ces choses-là pouvaient me faire, à moi pauvre
berger de la montagne, je répondrai que j'avais
vingt ans et que cette Stéphanette était ce que
j'avais vu de plus beau dans ma vie.

Or, un dimanche que j'attendais les vivres de
quinzaine, il se trouva qu'ils n'arrivèrent que
très tard. Le matin je me disais : « C'est la faute
de la grand-messe »; puis, vers midi, il vint un
gros orage, et je pensai que la mule n'avait pas
pu se mettre en route à cause du mauvais état
des chemins. Enfin, sur les trois heures, le ciel
étant lavé, la montagne luisante d'eau et de
soleil, j'entendis parmi l'égouttement des feuilles
et le débordement des ruisseaux gonflés, les sonnailles de la mule, aussi gaies, aussi alertes qu'un
grand carillon de cloches un jour de Pâques.
Mais ce n'était pas le petit *miarro*, ni la vieille
Norade qui la conduisait. C'était... devinez qui!...
notre demoiselle, mes enfants! notre demoiselle
en personne, assise droite entre les sacs d'osier,
toute rose de l'air des montagnes et du rafraî-
chissement de l'orage.

Le petit était malade, tante Norade en va-
cances chez ses enfants. La belle Stéphanette
m'apprit tout ça, en descendant de sa mule, et
aussi qu'elle arrivait tard parce qu'elle s'était
perdue en route; mais à la voir si bien endi-
manchée, avec son ruban à fleurs, sa jupe brillante et ses dentelles, elle avait plutôt l'air de
s'être attardée à quelque danse que d'avoir cherché son chemin dans les buissons. O la mignonne
créature! Mes yeux ne pouvaient se lasser de la
regarder. Il est vrai que je ne l'avais jamais vue
de si près. Quelquefois l'hiver, quand les troupeaux étaient descendus dans la plaine et que
je rentrais le soir à la ferme pour souper, elle
traversait la salle vivement, sans guère parler
aux serviteurs, toujours parée et un peu fière...
Et maintenant je l'avais là devant moi, rien que
pour moi; n'était-ce pas à en perdre la tête?

Quand elle eut tiré les provisions du panier,
Stéphanette se mit à regarder curieusement
autour d'elle. Relevant un peu sa belle jupe du
dimanche qui aurait pu s'abîmer, elle entra dans
le *parc*, voulut voir le coin où je couchais, la
crèche de paille avec la peau de mouton, ma
grande cape accrochée au mur, ma crosse, mon
fusil à pierre. Tout cela l'amusait.

« Alors, c'est ici que tu vis, mon pauvre berger? Comme tu dois t'ennuyer d'être toujours
seul! Qu'est-ce que tu fais? A quoi penses-tu?... »

J'avais envie de répondre : « A vous, maîtresse », et je n'aurais pas menti; mais mon trouble était si grand que je ne pouvais pas seulement trouver une parole. Je crois bien qu'elle s'en apercevait, et que la méchante prenait plaisir à redoubler mon embarras avec ses malices :

« Et ta bonne amie, berger, est-ce qu'elle monte te voir quelquefois?... Ça doit être bien sûr la chèvre d'or, ou cette fée Estérelle qui ne court qu'à la pointe des montagnes... »

Et elle-même, en me parlant, avait bien l'air de la fée Estérelle, avec le joli rire de sa tête renversée et sa hâte de s'en aller qui faisait de sa visite une apparition.

« Adieu, berger.

— Salut, maîtresse. »

Et la voilà partie, emportant ses corbeilles vides.

Lorsqu'elle disparut dans le sentier en pente, il me semblait que les cailloux, roulant sous les sabots de la mule, me tombaient un à un sur le cœur. Je les entendis longtemps, longtemps; et jusqu'à la fin du jour je restai comme ensommeillé, n'osant bouger, de peur de faire en aller mon rêve. Vers le soir, comme le fond des vallées commençait à devenir bleu et que les bêtes se serraient en bêlant l'une contre l'autre pour rentrer au *parc,* j'entendis qu'on m'appelait dans la descente, et je vis paraître notre demoi-

selle, non plus rieuse ainsi que tout à l'heure
mais tremblante de froid, de peur, de mouillure
Il paraît qu'au bas de la côte elle avait trouvé
la Sorgue grossie par la pluie d'orage, et qu'en
voulant passer à toute force, elle avait risqué de
se noyer. Le terrible, c'est qu'à cette heure de
nuit il ne fallait plus songer à retourner à la
ferme; car le chemin par la traverse, notre demoiselle n'aurait jamais su s'y retrouver toute
seule, et moi je ne pouvais pas quitter le troupeau. Cette idée de passer la nuit sur la montagne la tourmentait beaucoup, surtout à cause
de l'inquiétude des siens. Moi, je la rassurais de
mon mieux :

« En juillet, les nuits sont courtes, maîtresse...
Ce n'est qu'un mauvais moment. »

Et j'allumai vite un grand feu pour sécher
ses pieds et sa robe toute trempée de l'eau de
la Sorgue. Ensuite j'apportai devant elle du lait,
des fromageons; mais la pauvre petite ne songeait ni à se chauffer, ni à manger, et de voir les
grosses larmes qui montaient dans ses yeux,
j'avais envie de pleurer, moi aussi.

Cependant la nuit était venue tout à fait. Il
ne restait plus sur la crête des montagnes qu'une
poussière de soleil, une vapeur de lumière du
côté du couchant. Je voulus que notre demoiselle
entrât se reposer dans le *parc*. Ayant étendu sur
la paille fraîche une belle peau toute neuve,

je lui souhaitai la bonne nuit, et j'allai m'asseoir
dehors devant la porte... Dieu m'est témoin que,
malgré le feu d'amour qui me brûlait le sang,
aucune mauvaise pensée ne me vint; rien qu'une
grande fierté de songer que dans un coin du
parc, tout près du troupeau curieux qui la regardait dormir, la fille de mes maîtres, — comme
une brebis plus précieuse et plus blanche que
toutes les autres, — reposait, confiée à ma garde.
Jamais le ciel ne m'avait paru si profond, les
étoiles si brillantes... Tout à coup, la claire-voie
du *parc* s'ouvrit et la belle Stéphanette parut.
Elle ne pouvait pas dormir. Les bêtes faisaient
crier la paille en remuant, ou bêlaient dans
leurs rêves. Elle aimait mieux venir près du
feu. Voyant cela, je lui jetai ma peau de bique
sur les épaules, j'activai la flamme, et nous restâmes assis l'un près de l'autre sans parler. Si
vous avez jamais passé la nuit à la belle étoile,
vous savez qu'à l'heure où nous dormons, un
monde mystérieux s'éveille dans la solitude et le
silence. Alors les sources chantent bien plus
clair, les étangs allument des petites flammes.
Tous les esprits de la montagne vont et viennent
librement; et il y a dans l'air des frôlements,
des bruits imperceptibles, comme si l'on entendait les branches grandir, l'herbe pousser. Le
jour, c'est la vie des êtres; mais la nuit, c'est la
vie des choses. Quand on n'en a pas l'habitude,

ça fait peur... Aussi notre demoiselle était toute
frissonnante et se serrait contre moi au moindre
bruit. Une fois, un cri long, mélancolique, parti
de l'étang qui luisait plus bas, monta vers nous
en ondulant. Au même instant une belle étoile
filante glissa par-dessus nos têtes dans la même
direction, comme si cette plainte que nous ve-
nions d'entendre portait une lumière avec elle.

« Qu'est-ce que c'est? me demanda Stéphanette à voix basse.

— Une âme qui entre en paradis, maîtresse »;
et je fis le signe de la croix.

Elle se signa aussi, et resta un moment la tête
en l'air, très recueillie. Puis elle me dit :

« C'est donc vrai, berger, que vous êtes sor-
ciers, vous autres?

— Nullement, notre demoiselle. Mais ici nous
vivons plus près des étoiles, et nous savons ce
qui s'y passe mieux que des gens de la plaine. »

Elle regardait toujours en haut, la tête ap-
puyée dans la main, entourée de la peau de
mouton comme un petit pâtre céleste :

« Qu'il y en a! Que c'est beau! Jamais je n'en
avais tant vu... Est-ce que tu sais leurs noms,
berger?

— Mais oui, maîtresse... Tenez! juste au-dessus de nous, voilà le *Chemin de saint Jacques*
(la voie lactée). Il va de France droit sur l'Espagne. C'est saint Jacques de Galice qui l'a tracé

pour montrer sa route au brave Charlemagne
lorsqu'il faisait la guerre aux Sarrasins[1]. Plus
loin, vous avez le *Char des âmes* (la grande
Ourse) avec ses quatre essieux resplendissants.
Les trois étoiles qui vont devant sont les *Trois
bêtes,* et cette toute petite contre la troisième
c'est le *Charretier.* Voyez-vous tout autour cette
pluie d'étoiles qui tombent? ce sont les âmes
dont le bon Dieu ne veut pas chez lui... Un peu
plus bas, voici le *Râteau* ou les *Trois rois*
(Orion). C'est ce qui nous sert d'horloge, à nous
autres. Rien qu'en les regardant, je sais maintenant qu'il est minuit passé. Un peu plus bas,
toujours vers le midi, brille *Jean de Milan,* le
flambeau des astres (Sirius). Sur cette étoile-là,
voici ce que les bergers racontent. Il paraît
qu'une nuit *Jean de Milan,* avec les *Trois rois*
et la *Poussinière* (la Pléiade), furent invités à
la noce d'une étoile de leurs amies. La *Poussinière,* plus pressée, partit, dit-on, la première,
et prit le chemin haut. Regardez-la, là-haut, tout
au fond du ciel. Les *Trois rois* coupèrent plus
bas et la rattrapèrent; mais ce paresseux de *Jean
de Milan,* qui avait dormi trop tard, resta tout
à fait derrière, et furieux, pour les arrêter, leur
jeta son bâton. C'est pourquoi les *Trois rois*
s'appellent aussi le *Bâton de Jean de Milan...*

1. Tous ces détails d'astronomie populaire sont traduits de
L'Almanach provençal qui se publie en Avignon.

Mais la plus belle de toutes les étoiles, maîtresse, c'est la nôtre, c'est l'*Etoile du berger,* qui nous éclaire à l'aube quand nous sortons le troupeau, et aussi le soir quand nous le rentrons. Nous la nommons encore *Maguelonne,* la belle Maguelonne qui court après *Pierre de Provence* (Saturne) et se marie avec lui tous les sept ans.

— Comment! berger, il y a donc des mariages d'étoiles?

— Mais oui, maîtresse. »

Et comme j'essayais de lui expliquer ce que c'était que ces mariages, je sentis quelque chose de frais et de fin peser légèrement sur mon épaule. C'était sa tête alourdie de sommeil qui s'appuyait contre moi avec un joli froissement de rubans, de dentelles et de cheveux ondés. Elle resta ainsi sans bouger jusqu'au moment où les astres du ciel pâlirent, effacés par le jour qui montait. Moi, je la regardais dormir, un peu troublé au fond de mon être, mais saintement protégé par cette claire nuit qui ne m'a jamais donné que de belles pensées. Autour de nous, les étoiles continuaient leur marche silencieuse, dociles comme un grand troupeau; et par moments je me figurais qu'une de ces étoiles, la plus fine, la plus brillante ayant perdu sa route, était venue se poser sur mon épaule pour dormir...

L'ARLÉSIENNE

POUR aller au village, en descendant de mon moulin, on passe devant un *mas* bâti près de la route au fond d'une grande cour plantée de micocouliers. C'est la vraie maison du *ménager* de Provence, avec ses tuiles rouges, sa large façade brune irrégulièrement percée, puis tout en haut la girouette du grenier, la poulie pour hisser les meules et quelques touffes de foin brun qui dépassent...

Pourquoi cette maison m'avait-elle frappé? Pourquoi ce portail fermé me serrait-il le cœur? Je n'aurais pas pu le dire, et pourtant ce logis me faisait froid. Il y avait trop de silence autour... Quand on passait, les chiens n'aboyaient pas, les pintades s'enfuyaient sans crier... A l'intérieur, pas une voix! Rien, pas même un grelot de mule... Sans les rideaux blancs des fenêtres et la fumée qui montait des toits, on aurait cru l'endroit inhabité.

Hier, sur le coup de midi, je revenais du village, et, pour éviter le soleil, je longeais les murs de la ferme, dans l'ombre des micocouliers... Sur la route, devant le *mas*, des valets silencieux achevaient de charger une charrette de foin... Le portail était resté ouvert. Je jetai un regard en passant, et je vis, au fond de la cour, accoudé, — la tête dans ses mains, — sur une large table de pierre, un grand vieux tout blanc, avec une veste trop courte et des culottes en lambeaux... Je m'arrêtai. Un des hommes me dit tout bas :

« Chut! c'est le maître... Il est comme ça depuis le malheur de son fils. »

A ce moment, une femme et un petit garçon, vêtus de noir, passèrent près de nous avec de gros paroissiens dorés, et entrèrent à la ferme.

L'homme ajouta :

« ... La maîtresse et Cadet qui reviennent de la messe. Ils y vont tous les jours, depuis que l'enfant s'est tué... Ah! monsieur, quelle désolation!... Le père porte encore les habits du mort; on ne peut pas les lui faire quitter... Dia! hue! la bête! »

La charrette s'ébranla pour partir. Moi, qui voulais en savoir plus long, je demandai au voiturier de monter à côté de lui, et c'est là-haut, dans le foin, que j'appris toute cette navrante histoire...

*

Il s'appelait Jan. C'était un admirable paysan
de vingt ans, sage comme une fille, solide et le
visage ouvert. Comme il était très beau, les
femmes le regardaient; mais lui n'en avait
qu'une en tête, — une petite Arlésienne, toute
en velours et en dentelles, qu'il avait rencon-
trée sur la Lice d'Arles, une fois. — Au *mas*,
on ne vit pas d'abord cette liaison avec plaisir.
La fille passait pour coquette, et ses parents
n'étaient pas du pays. Mais Jan voulait son Arlésienne à toute force. Il disait :

« Je mourrai si on ne me la donne pas. »

Il fallut en passer par là. On décida de les
marier après la moisson.

Donc, un dimanche soir, dans la cour du *mas*,
la famille achevait de dîner. C'était presque un
repas de noces. La fiancée n'y assistait pas, mais
on avait bu en son honneur tout le temps... Un
homme se présente à la porte, et, d'une voix
qui tremble, demande à parler à maître Estève,
à lui seul. Estève se lève et sort sur la route.

« Maître, lui dit l'homme, vous allez marier
votre enfant à une coquine, qui a été ma maîtresse pendant deux ans. Ce que j'avance, je le
prouve; voici des lettres!... ses parents savent
tout et me l'avaient promise; mais depuis que

votre fils la recherche, ni eux ni la belle ne
veulent plus de moi... J'aurais cru pourtant
qu'après ça elle ne pouvait pas être la femme
d'un autre.

— C'est bien, dit maître Estève quand il eut
regardé les lettres; entrez boire un verre de
muscat. »

L'homme répond :

« Merci! j'ai plus de chagrin que de soif. »

Et il s'en va.

Le père rentre, impassible : il reprend sa place
à table; et le repas s'achève gaiement...

Ce soir-là, maître Estève et son fils s'en allèrent
ensemble dans les champs. Ils restèrent longtemps dehors; quand ils revinrent, la mère les
attendait encore.

« Femme, dit le *ménager,* en lui amenant son
fils, embrasse-le! il est malheureux... »

*

Jan ne parla plus de l'Arlésienne. Il l'aimait
toujours cependant, et même plus que jamais,
depuis qu'on la lui avait montrée dans les bras
d'un autre. Seulement il était trop fier pour
rien dire; c'est ce qui le tua, le pauvre enfant!...
Quelquefois il passait des journées entières seul
dans un coin, sans bouger. D'autres jours, il se
mettait à la terre avec rage et abattait à lui seul

le travail de dix journaliers... Le soir venu, il
prenait la route d'Arles et marchait devant lui
jusqu'à ce qu'il vît monter dans le couchant les
clochers grêles de la ville. Alors il revenait.
Jamais il n'alla plus loin.

De le voir ainsi, toujours triste et seul, les
gens du *mas* ne savaient plus que faire. On re-
doutait un malheur... Une fois, à table, sa mère,
en le regardant avec des yeux pleins de larmes,
lui dit :

« Eh bien, écoute, Jan, si tu la veux tout de
même, nous te la donnerons... »

Le père, rouge de honte, baissait la tête :

Jan fit signe que non, et il sortit...

A partir de ce jour, il changea sa façon de
vivre, affectant d'être toujours gai, pour rassu-
rer ses parents. On le revit au bal, au cabaret,
dans les ferrades. A la vote de Fonvieille, c'est
lui qui mena la farandole.

Le père disait : « Il est guéri. » La mère, elle,
avait toujours des craintes et plus que jamais
surveillait son enfant... Jan couchait avec Cadet,
tout près de la magnanerie; la pauvre vieille se
fit dresser un lit à côté de leur chambre... Les
magnans pouvaient avoir besoin d'elle, dans la
nuit...

Vint la fête de saint Eloi, patron des ménagers.

Grande joie au *mas*... Il y eut du châteauneuf

pour tout le monde et du vin cuit comme s'il
en pleuvait. Puis des pétards, des feux sur l'aire,
des lanternes de couleur plein les micocouliers...
Vive saint Eloi! On farandola à mort. Cadet
brûla sa blouse neuve... Jan lui-même avait l'air
content; il voulut faire danser sa mère; la pauvre
femme en pleurait de bonheur.

A minuit, on alla se coucher. Tout le monde
avait besoin de dormir... Jan ne dormit pas, lui.
Cadet a raconté depuis que toute la nuit il avait
sangloté... Ah! je vous réponds qu'il était bien
mordu, celui-là...

Le lendemain, à l'aube, la mère entendit quelqu'un traverser sa chambre en courant. Elle eut
comme un pressentiment :

« Jan, c'est toi? »

Jan ne répond pas; il est déjà dans l'escalier.
Vite, vite la mère se lève :

« Jan, où vas-tu? »

Il monte au grenier; elle monte derrière lui :

« Mon fils, au nom du Ciel! »

Il ferme la porte et tire le verrou.

« Jan, mon Janet, réponds-moi. Que vas-tu
faire? »

A tâtons, de ses vieilles mains qui tremblent,
elle cherche le loquet... Une fenêtre qui s'ouvre,
le bruit d'un corps sur les dalles de la cour, et
c'est tout...

Il s'était dit, le pauvre enfant : « Je l'aime

trop... Je m'en vais... » Ah! misérables cœurs
que nous sommes! C'est un peu fort pourtant
que le mépris ne puisse pas tuer l'amour!...

Ce matin-là, les gens du village se demandèrent qui pouvait crier ainsi, là-bas, du côté
du *mas* d'Estève...

C'était, dans la cour, devant la table de pierre
couverte de rosée et de sang, la mère toute nue
qui se lamentait, avec son enfant mort sur ses
bras.

LA MULE DU PAPE

DE tous les jolis dictons, proverbes ou adages, dont nos paysans de Provence passementent leurs discours, je n'en sais pas un plus pittoresque ni plus singulier que celui-ci. A quinze lieues autour de mon moulin, quand on parle d'un homme rancunier, vindicatif, on dit : « Cet homme-là! méfiez-vous!... il est comme la mule du Pape, qui garde sept ans son coup de pied. »

J'ai cherché bien longtemps d'où ce proverbe pouvait venir, ce que c'était que cette mule papale et ce coup de pied gardé pendant sept ans. Personne ici n'a pu me renseigner à ce sujet, pas même Francet Mamaï, mon joueur de fifre, qui connaît pourtant son légendaire provençal sur le bout du doigt. Francet pense comme moi qu'il y a là-dessous quelque ancienne chronique du pays d'Avignon; mais il n'en a jamais entendu parler autrement que par le proverbe.

« Vous ne trouverez cela qu'à la bibliothèque des Cigales », m'a dit le vieux fifre en riant.

L'idée m'a paru bonne, et comme la bibliothèque des Cigales est à ma porte, je suis allé
m'y enfermer pendant huit jours.

C'est une bibliothèque merveilleuse, admira-
blement montée, ouverte aux poètes jour et
nuit, et desservie par de petits bibliothécaires
à cymbales qui vous font de la musique tout
le temps. J'ai passé là quelques journées déli-
cieuses, et, après une semaine de recherches, —
sur le dos, — j'ai fini par découvrir ce que je
voulais, c'est-à-dire l'histoire de ma mule et de
ce fameux coup de pied gardé pendant sept ans.
Le conte en est joli quoique un peu naïf, et je
vais essayer de vous le dire tel que je l'ai lu hier
matin dans un manuscrit couleur du temps, qui
sentait bon la lavande sèche et avait de grands
fils de la Vierge pour signets.

*

Qui n'a pas vu Avignon du temps des Papes,
n'a rien vu. Pour la gaieté, la vie, l'animation,
le train des fêtes, jamais une ville pareille.
C'étaient, du matin au soir, des processions, des
pèlerinages, les rues jonchées de fleurs, tapissées
de hautes lices, des arrivages de cardinaux par
le Rhône, bannières au vent, galères pavoisées,
les soldats du Pape qui chantaient du latin sur
les places, les crécelles des frères quêteurs; puis,

du haut en bas des maisons qui se pressaient en
bourdonnant autour du grand palais papal
comme des abeilles autour de leur ruche, c'était
encore le tic-tac des métiers à dentelles, le va-
et-vient des navettes tissant l'or des chasubles,
les petits marteaux des ciseleurs de burettes, les
tables d'harmonie qu'on ajustait chez les luthiers,
les cantiques des ourdisseuses; par là-dessus le
bruit des cloches, et toujours quelques tambourins qu'on entendait ronfler, là-bas, du côté du
pont. Car chez nous, quand le peuple est
content, il faut qu'il danse, il faut qu'il danse;
et comme en ce temps-là les rues de la ville
étaient trop étroites pour la farandole, fifres et
tambourins se postaient sur le pont d'Avignon,
au vent frais du Rhône, et jour et nuit l'on y
dansait, l'on y dansait... Ah! l'heureux temps!
l'heureuse ville! Des hallebardes qui ne cou-
paient pas; des prisons d'Etat où l'on mettait
le vin à rafraîchir. Jamais de disette; jamais de
guerre... Voilà comment les Papes du Comtat
savaient gouverner leur peuple; voilà pourquoi
leur peuple les a tant regrettés!...

*

Il y en a un surtout, un bon vieux, qu'on
appelait Boniface... Oh! celui-là, que de larmes
on a versées en Avignon, quand il est mort!

C'était un prince si aimable, si avenant! Il vous
riait si bien du haut de sa mule! Et quand vous
passiez près de lui, — fussiez-vous un pauvre
petit tireur de garance ou le grand viguier de
la ville, — il vous donnait sa bénédiction si
poliment! Un vrai pape d'Yvetot, mais d'un
Yvetot de Provence, avec quelque chose de fin
dans le rire, un brin de marjolaine à sa barrette, et pas la moindre Jeanneton... La seule
Jeanneton qu'on lui ait jamais connue, à ce bon
père, c'était sa vigne, — une petite vigne qu'il
avait plantée lui-même, à trois lieues d'Avignon,
dans les myrtes de Château-Neuf.

Tous les dimanches, en sortant de vêpres, le
digne homme allait lui faire sa cour, et quand
il était là-haut, assis au bon soleil, sa mule près
de lui, ses cardinaux tout autour étendus aux
pieds des souches, alors il faisait déboucher un
flacon de vin du cru, — ce beau vin, couleur
de rubis, qui s'est appelé depuis le Château-
Neuf des Papes, — et il le dégustait par petits
coups, en regardant sa vigne d'un air attendri.
Puis, le flacon vidé, le jour tombant, il rentrait
joyeusement à la ville, suivi de tout son chapitre; et, lorsqu'il passait sur le pont d'Avignon,
au milieu des tambours et des farandoles, sa
mule, mise en train par la musique, prenait un
petit amble sautillant, tandis que lui-même il
marquait le pas de la danse avec sa barrette,

ce qui scandalisait fort ses cardinaux, mais faisait dire à tout le peuple : « Ah! le bon prince! Ah! le brave pape! »

*

Après sa vigne de Château-Neuf, ce que le pape aimait le plus au monde, c'était sa mule. Le bonhomme en raffolait de cette bête-là. Tous les soirs avant de se coucher, il allait voir si son écurie était bien fermée, si rien ne manquait dans sa mangeoire, et jamais il ne se serait levé de table sans faire préparer sous ses yeux un grand bol de vin à la française, avec beaucoup de sucre et d'aromates, qu'il allait lui porter lui-même, malgré les observations de ses cardinaux... Il faut dire aussi que la bête en valait la peine. C'était une belle mule noire, mouchetée de rouge, le pied sûr, le poil luisant, la croupe large et pleine, portant fièrement sa petite tête sèche toute harnachée de pompons, de nœuds, de grelots d'argent, de bouffettes; avec cela douce comme un ange, l'œil naïf, et deux longues oreilles, toujours en branle, qui lui donnaient l'air bon enfant. Tout Avignon la respectait, et, quand elle errait dans les rues, il n'y avait pas de bonnes manières qu'on ne lui fît; car chacun savait que c'était le meilleur moyen d'être bien en cour, et qu'avec son air innocent, la mule du Pape en avait mené plus d'un à la fortune, à preuve Tistet Védène et sa prodigieuse aventure.

Ce Tistet Védène était, dans le principe, un effronté galopin, que son père, Guy Védène, le sculpteur d'or, avait été obligé de chasser de chez lui, parce qu'il ne voulait rien faire et débauchait les apprentis. Pendant six mois, on le vit traîner sa jaquette dans tous les ruisseaux d'Avignon, mais principalement du côté de la maison papale; car le drôle avait depuis longtemps son idée sur la mule du Pape, et vous allez voir que c'était quelque chose de malin... Un jour que Sa Sainteté se promenait toute seule sous les remparts avec sa bête, voilà mon Tistet qui l'aborde, et lui dit en joignant les mains d'un air d'admiration :

« Ah! mon Dieu! grand Saint-Père, quelle brave mule vous avez là!... Laissez un peu que je la regarde... Ah! mon Pape, la belle mule!... L'empereur d'Allemagne n'en a pas une pareille. »

Et il la caressait, et il lui parlait doucement comme à une demoiselle.

« Venez çà, mon bijou, mon trésor, ma perle fine... »

Et le bon Pape, tout ému, se disait dans lui-même :

« Quel bon petit garçonnet!... Comme il est gentil avec ma mule! »

Et puis le lendemain savez-vous ce qui arriva? Tistet Védène troqua sa vieille jaquette jaune contre une belle aube en dentelles, un camail de soie violette, des souliers à boucles, et il entra dans la maîtrise du Pape, où jamais avant lui on n'avait reçu que des fils de nobles et des neveux de cardinaux... Voilà ce que c'est que l'intrigue!... Mais Tistet ne s'en tint pas là.

Une fois au service du Pape, le drôle continua le jeu qui lui avait si bien réussi. Insolent avec tout le monde, il n'avait d'attentions ni de prévenances que pour la mule, et toujours on le rencontrait par les cours du palais avec une poignée d'avoine ou une bottelée de sainfoin, dont il secouait gentiment les grappes roses en regardant le balcon du Saint-Père, d'un air de dire : « Hein!... pour qui ça?... » Tant et tant qu'à la fin le bon Pape, qui se sentait devenir vieux, en arriva à lui laisser le soin de veiller sur l'écurie et de porter à la mule son bol de vin à la française; ce qui ne faisait pas rire les cardinaux.

*

Ni la mule non plus, cela ne la faisait pas rire... Maintenant, à l'heure de son vin, elle voyait toujours arriver chez elle cinq ou six

petits clercs de maîtrise qui se fourraient vite
dans la paille avec leur camail et leurs dentelles:
puis, au bout d'un moment, une bonne odeur
chaude de caramel et d'aromates emplissait
l'écurie, et Tistet Védène apparaissait portant
avec précaution le bol de vin à la française.
Alors le martyre de la pauvre bête commençait.

Ce vin parfumé qu'elle aimait tant, qui lui
tenait chaud, qui lui mettait des ailes, on avait
la cruauté de le lui apporter, là, dans sa mangeoire, de le lui faire respirer; puis, quand elle
en avait les narines pleines, passe, je t'ai vu!
la belle liqueur de flamme rose s'en allait toute
dans le gosier de ces garnements... Et encore,
s'ils n'avaient fait que lui voler son vin; mais
c'étaient comme des diables, tous ces petits clercs,
quand ils avaient bu!... L'un lui tirait les oreilles,
l'autre la queue; Quiquet lui montait sur le
dos, Béluguet lui essayait sa barrette, et pas un
de ces galopins ne songeait que d'un coup de
reins ou d'une ruade la brave bête aurait pu les
envoyer tous dans l'étoile polaire, et même plus
loin... Mais non! On n'est pas pour rien la mule
du Pape, la mule des bénédictions et des indul-
gences... Les enfants avaient beau faire, elle ne
se fâchait pas; et ce n'était qu'à Tistet Védène
qu'elle en voulait... Celui-là, par exemple, quand
elle le sentait derrière elle, son sabot lui déman-

geait, et vraiment il y avait bien de quoi. Ce vaurien de Tistet lui jouait de si vilains tours! Il avait de si cruelles inventions après boire!...

Est-ce qu'un jour il ne s'avisa pas de la faire monter avec lui au clocheton de la maîtrise, là-haut, tout là-haut, à la pointe du palais!... Et ce que je vous dis là n'est pas un conte, deux cent mille Provençaux l'ont vu. Vous figurez-vous la terreur de cette malheureuse mule, lorsque, après avoir tourné pendant une heure à l'aveuglette dans un escalier en colimaçon et grimpé je ne sais combien de marches, elle se trouva tout à coup sur une plate-forme éblouis-sante de lumière, et qu'à mille pieds au-dessous d'elle elle aperçut tout un Avignon fantastique, les baraques du marché pas plus grosses que des noisettes, les soldats du Pape devant leur caserne comme des fourmis rouges, et là-bas, sur un fil d'argent, un petit pont microscopique où l'on dansait, où l'on dansait... Ah! pauvre bête! quelle panique! Du cri qu'elle en poussa, toutes les vitres du palais tremblèrent.

« Qu'est-ce qu'il y a? qu'est-ce qu'on lui fait? » s'écria le bon Pape en se précipitant sur son balcon.

Tistet Védène était déjà dans la cour, faisant mine de pleurer et de s'arracher les cheveux :

« Ah! grand Saint-Père, ce qu'il y a! Il y a que votre mule est montée dans le clocheton...

— Toute seule???

— Oui, grand Saint-Père, toute seule... Tenez! regardez-là, là-haut... Voyez-vous le bout de
ses oreilles qui passe?... On dirait deux hirondelles...

— Miséricorde! fit le pauvre Pape en levant
les yeux... Mais elle est donc devenue folle! Mais
elle va se tuer... Veux-tu bien descendre, malheureuse!... »

Pécaïre! elle n'aurait pas mieux demandé, elle,
que de descendre... mais par où? L'escalier, il
n'y fallait pas songer : ça se monte encore ces
choses-là; mais, à la descente, il y aurait de quoi
se rompre cent fois les jambes... Et la pauvre
mule se désolait, et, tout en rôdant sur la plate-
forme avec ses gros yeux pleins de vertige, elle
pensait à Tistet Védène :

« Ah! bandit, si j'en réchappe... quel coup
de sabot demain matin! »

Cette idée de coup de sabot lui redonnait un
peu de cœur au ventre; sans cela elle n'aurait
pas pu se tenir... Enfin on parvint à la tirer de
là-haut; mais ce fut toute une affaire. Il fallut
la descendre avec un cric, des cordes, une civière.
Et vous pensez quelle humiliation pour la mule
d'un pape de se voir pendue à cette hauteur,
nageant des pattes dans le vide comme un han-
neton au bout d'un fil. Et tout Avignon qui la
regardait!

La malheureuse bête n'en dormit pas de la nuit. Il lui semblait toujours qu'elle tournait sur cette maudite plate-forme, avec les rires de la ville au-dessous, puis elle pensait à cet infâme Tistet Védène et au joli coup de sabot qu'elle allait lui détacher le lendemain matin. Ah! mes amis, quel coup de sabot! De Pampérigouste on en verrait la fumée... Or, pendant qu'on lui préparait cette belle réception à l'écurie, savez-vous ce que faisait Tistet Védène? Il descendait le Rhône en chantant sur une galère papale et s'en allait à la cour de Naples avec la troupe de jeunes nobles que la ville envoyait tous les ans près de la reine Jeanne pour s'exercer à la diplomatie et aux belles manières. Tistet n'était pas noble; mais le Pape tenait à le récompenser des soins qu'il avait donnés à sa bête, et principalement de l'activité qu'il venait de déployer pendant la journée du sauvetage.

C'est la mule qui fut désappointée le lendemain!

« Ah! le bandit! il s'est douté de quelque chose!... pensait-elle en secouant ses grelots avec fureur... Mais c'est égal, va, mauvais! tu le retrouveras au retour, ton coup de sabot... je te le garde! »

Et elle le lui garda.

Après le départ de Tistet, la mule du Pape retrouva son train de vie tranquille et ses allures d'autrefois. Plus de Quiquet, plus de Béluguet à l'écurie. Les beaux jours du vin à la française étaient revenus, et avec eux la bonne humeur, les longues siestes, et le petit pas de gavotte quand elle passait sur le pont d'Avignon. Pourtant, depuis son aventure, on lui marquait toujours un peu de froideur dans la ville. Il y avait des chuchotements sur sa route; les vieilles gens hochaient la tête, les enfants riaient en se montrant le clocheton. Le bon Pape lui-même n'avait plus autant de confiance en son amie, et, lorsqu'il se laissait aller à faire un petit somme sur son dos, le dimanche, en revenant de la vigne, il gardait toujours cette arrière-pensée : « Si j'allais me réveiller là-haut, sur la plate-forme! » La mule voyait cela et elle en souffrait, sans rien dire; seulement, quand on prononçait le nom de Tistet Védène devant elle, ses longues oreilles frémissaient, et elle aiguisait avec un petit rire le fer de ses sabots sur le pavé.

Sept ans se passèrent ainsi; puis, au bout de ces sept années, Tistet Védène revint de la cour de Naples. Son temps n'était pas encore fini là-bas; mais il avait appris que le premier moutardier du Pape venait de mourir subitement en Avignon, et, comme la place lui semblait bonne, il était arrivé en grande hâte pour se mettre sur les rangs.

Quand cet intrigant de Védène entra dans la

salle du palais, le Saint-Père eut peine à le
reconnaître, tant il avait grandi et pris du corps.
Il faut dire aussi que le bon Pape s'était fait
vieux de son côté, et qu'il n'y voyait pas bien
sans besicles.

Tistet ne s'intimida pas.

« Comment! grand Saint-Père, vous ne me
reconnaissez plus?... C'est moi, Tistet Védène!...

— Védène?...

— Mais oui, vous savez bien... celui qui portait le vin français à votre mule.

— Ah! oui... oui... je me rappelle... Un bon
petit garçonnet, ce Tistet Védène!... Et maintenant, qu'est-ce qu'il veut de nous?

— Oh! peu de chose, grand Saint-Père... Je
venais vous demander... A propos, est-ce que
vous l'avez toujours, votre mule? Et elle va
bien?... Ah! tant mieux!... Je venais vous demander la place du premier moutardier qui vient
de mourir.

— Premier moutardier, toi!... Mais tu es trop
jeune. Quel âge as-tu donc?

— Vingt ans deux mois, illustre pontife,
juste cinq ans de plus que votre mule... Ah!
palme de Dieu, la brave bête!... Si vous saviez
comme je l'aimais cette mule-là!... comme je me
suis langui d'elle en Italie!... Est-ce que vous ne
me la laisserez pas voir?

— Si, mon enfant, tu la verras, fit le bon

Pape tout ému... Et puisque tu l'aimes tant, cette brave bête, je ne veux plus que tu vives loin d'elle. Dès ce jour, je t'attache à ma personne en qualité de premier moutardier... Mes cardinaux crieront, mais tant pis! j'y suis habitué... Viens nous trouver demain, à la sortie des vêpres, nous te remettrons les insignes de ton grade en présence de notre chapitre, et puis... je te mènerai voir la mule, et tu viendras à la vigne avec nous deux... hé! hé! Allons va... »

Si Tistet Védène était content en sortant de la grande salle, avec quelle impatience il attendit la cérémonie du lendemain, je n'ai pas besoin de vous le dire. Pourtant il y avait dans le palais quelqu'un de plus heureux encore et de plus impatient que lui : c'était la mule. Depuis le retour de Védène jusqu'aux vêpres du jour suivant, la terrible bête ne cessa de se bourrer d'avoine et de tirer au mur avec ses sabots de derrière. Elle aussi se préparait pour la cérémonie...

Et donc, le lendemain, lorsque vêpres furent dites, Tistet Védène fit son entrée dans la cour du palais papal. Tout le haut clergé était là, les cardinaux en robes rouges, l'avocat du diable en velours noir, les abbés du couvent avec leurs petites mitres, les marguilliers de Saint-Agrico, les camails violets de la maîtrise, le bas clergé aussi, les soldats du Pape en grand uniforme, les trois

confréries de pénitents, les ermites du mont Ventoux avec leurs mines farouches et le petit clerc
qui va derrière en portant la clochette, les frères
flagellants nus jusqu'à la ceinture, les sacris-
tains fleuris en robes de juges, tous, tous, jusqu'aux donneurs d'eau bénite, et celui qui
allume, et celui qui éteint... il n'y en avait pas
un qui manquât... Ah! c'était une belle ordina-
tion! Des cloches, des pétards, du soleil, de la
musique, et toujours ces enragés de tambourins
qui menaient la danse, là-bas, sur le pont d'Avignon.

Quand Védène parut au milieu de l'assemblée, sa prestance et sa belle mine y firent courir un murmure d'admiration. C'était un magnifique Provençal, mais des blonds, avec de
grands cheveux frisés au bout et une petite
barbe follette qui semblait prise aux copeaux
de fin métal tombé du burin de son père, le
sculpteur d'or. Le bruit courait que dans cette
barbe blonde les doigts de la reine Jeanne
avaient quelquefois joué; et le sire de Védène
avait bien, en effet, l'air glorieux et le regard
distrait des hommes que les reines ont aimés...
Ce jour-là, pour faire honneur à sa nation, il
avait remplacé ses vêtements napolitains par une
jaquette bordée de rose à la Provençale, et sur
son chaperon tremblait une grande plume d'ibis
de Camargue.

Sitôt entré, le premier moutardier salua d'un air galant et se dirigea vers le haut perron, où le Pape l'attendait pour lui remettre les insignes de son grade : la cuiller de buis jaune et l'habit de safran. La mule était au bas de l'escalier, toute harnachée et prête à partir pour la vigne... Quand il passa près d'elle, Tistet Védène eut un bon sourire et s'arrêta pour lui donner deux ou trois petites tapes amicales sur le dos, en regardant du coin de l'œil si le Pape le voyait. La position était bonne... La mule prit son élan :

« Tiens! attrape, bandit! Voilà sept ans que je te le garde! »

Et elle vous lui détacha un coup de sabot si terrible, si terrible, que de Pampérigouste même on en vit la fumée, un tourbillon de fumée blonde où voltigeait une plume d'ibis; tout ce qui restait de l'infortuné Tistet Védène!...

Les coups de pied de mule ne sont pas aussi foudroyants d'ordinaire; mais celle-ci était une mule papale; et puis, pensez donc! elle le lui gardait depuis sept ans... Il n'y a pas de plus bel exemple de rancune ecclésiastique.

LE PHARE DES SANGUINAIRES

CETTE nuit je n'ai pu dormir. Le mistral était en colère, et les éclats de sa grande voix m'ont tenu éveillé jusqu'au matin. Balançant lourdement ses ailes mutilées qui sifflaient à la bise comme les agrès d'un navire, tout le moulin craquait. Des tuiles s'envolaient de sa toiture en déroute. Au loin, les pins serrés dont la colline est couverte s'agitaient et bruissaient dans l'ombre. On se serait cru en pleine mer...

Cela m'a rappelé tout à fait mes belles insomnies d'il y a trois ans, quand j'habitais le phare des Sanguinaires, là-bas, sur la côte corse, à l'entrée du golfe d'Ajaccio.

Encore un joli coin que j'avais trouvé là pour rêver et pour être seul.

Figurez-vous une île rougeâtre et d'aspect farouche; le phare à une pointe, à l'autre une vieille tour génoise où, de mon temps, logeait un aigle. En bas, au bord de l'eau, un lazaret en ruine, envahi de partout par les herbes; puis des ravins, des maquis, de grandes roches, quelques chèvres sauvages, de petits chevaux corses gambadant la crinière au vent; enfin là-haut, tout en haut, dans un tourbillon d'oiseaux de mer, la maison du phare, avec sa plate-forme en maçonnerie blanche, où les gardiens se promènent de long en large, la porte verte en ogive, la petite tour de fonte, et au-dessus la grosse lanterne à facettes qui flambe au soleil et fait de la lumière même pendant le jour... Voilà l'île des Sanguinaires, comme je l'ai revue cette nuit, en entendant ronfler mes pins. C'était dans cette île enchantée qu'avant d'avoir un moulin j'allais m'enfermer quelquefois, lorsque j'avais besoin de grand air et de solitude.

Ce que je faisais?

Ce que je fais ici, moins encore. Quand le mistral ou la tramontane ne soufflaient pas trop fort, je venais me mettre entre deux roches au ras de l'eau, au milieu des goélands, des merles, des hirondelles, et j'y restais presque tout le jour dans cette espèce de stupeur et d'accablement délicieux que donne la contemplation de la mer. Vous connaissez, n'est-ce pas, cette jolie griserie de l'âme? On ne pense pas, on ne rêve pas non plus. Tout votre être vous échappe, s'envole, s'éparpille. On est la mouette qui plonge, la poussière d'écume qui flotte au soleil entre deux vagues, la fumée blanche de ce paquebot qui s'éloigne, ce petit corailleur à voile rouge, cette perle d'eau, ce flocon de brume, tout excepté soi-même... Oh! que j'en ai passé dans mon île de ces belles heures de demi-sommeil et d'éparpillement!...

Les jours de grand vent, le bord de l'eau n'étant pas tenable, je m'enfermais dans la cour du lazaret, une petite cour mélancolique, tout embaumée de romarin et d'absinthe sauvage, et là, blotti contre un pan de vieux mur, je me laissais envahir doucement par le vague parfum d'abandon et de tristesse qui flottait avec le soleil dans les logettes de pierre, ouvertes tout autour comme d'anciennes tombes. De temps en temps un battement de porte, un bond léger dans l'herbe... c'était une chèvre qui venait brouter à l'abri du vent. En me voyant, elle s'arrêtait interdite, et restait plantée devant moi, l'air vif, la corne haute, me regardant d'un œil enfantin...

Vers cinq heures, le porte-voix des gardiens m'appelait pour dîner. Je prenais alors un petit sentier dans le maquis grimpant à pic au-dessus de la mer, et je revenais lentement vers le phare, me retournant à chaque pas sur cet immense horizon d'eau et de lumière qui semblait s'élargir à mesure que je montais.

*

Là-haut c'était charmant. Je vois encore cette
belle salle à manger à larges dalles, à lambris de
chêne, la bouillabaisse fumant au milieu, la
porte grande ouverte sur la terrasse blanche et
tout le couchant qui entrait... Les gardiens
étaient là, m'attendant pour se mettre à table.
Il y en avait trois, un Marseillais et deux Corses,
tous trois petits, barbus, le même visage tanné,
crevassé, le même *pelone* (caban) en poil de
chèvre, mais d'allure et d'humeur entièrement
opposées.

A la façon de vivre de ces gens, on sentait tout
de suite la différence des deux races. Le Marseillais industrieux et vif, toujours affairé, toujours
en mouvement, courait l'île du matin au soir,
jardinant, pêchant, ramassant des œufs de
gouailles, s'embusquant dans le maquis pour
traire une chèvre au passage; et toujours quelque
aïoli ou quelque bouillabaisse en train.

Les Corses, eux, en dehors de leur service, ne
s'occupaient absolument de rien; ils se considé-
raient comme des fonctionnaires, et passaient
toutes leurs journées dans la cuisine à jouer
d'interminables parties de *scopa*, ne s'interrompant que pour rallumer leurs pipes d'un air
grave et hacher avec des ciseaux, dans le creux

de leurs mains, de grandes feuilles de tabac vert...

Du reste, Marseillais et Corses, tous trois de bonnes gens, simples, naïfs, et pleins de prévenances pour leur hôte, quoique au fond il dût leur paraître un monsieur bien extraordinaire...

Pensez donc! venir s'enfermer au phare pour son plaisir!... Eux qui trouvent les journées si longues, et qui sont si heureux quand c'est leur tour d'aller à terre... Dans la belle saison, ce grand bonheur leur arrive tous les mois. Dix jours de terre pour trente jours de phare, voilà le règlement; mais avec l'hiver et les gros temps, il n'y a plus de règlement qui tienne. Le vent souffle, la vague monte, les Sanguinaires sont blanches d'écume, et les gardiens de service restent bloqués deux ou trois mois de suite, quelquefois même dans de terribles situations.

« Voici ce qui m'est arrivé, à moi, monsieur —, me contait un jour le vieux Bartoli, pendant que nous dînions —, voici ce qui m'est arrivé il y a cinq ans, à cette même table où nous sommes, un soir d'hiver, comme maintenant. Ce soir-là, nous n'étions que deux dans le phare, moi et un camarade qu'on appelait Tchéco... Les autres étaient à terre, malades, en congé, je ne sais plus... Nous finissions de dîner, bien tranquilles... Tout à coup, voilà mon camarade qui s'arrête de manger, me regarde un

moment avec de drôles d'yeux, et, pouf! tombe
sur la table, les bras en avant. Je vais à lui, je
le secoue, je l'appelle :

« — Oh! Tché!... Oh! Tché!... »

« Rien, il était mort... Vous jugez quelle émotion. Je restai plus d'une heure stupide et tremblant devant ce cadavre, puis, subitement cette idée me vient : « Et le phare! » Je n'eus que le temps de monter dans la lanterne et d'allumer. La nuit était déjà là... Quelle nuit, monsieur! La mer, le vent n'avaient plus leurs voix naturelles. A tout moment il me semblait que quelqu'un m'appelait dans l'escalier. Avec cela une fièvre, une soif! Mais vous ne m'auriez pas fait descendre... j'avais trop peur du mort. Pourtant, au petit jour, le courage me revint un peu. Je portai mon camarade sur son lit; un drap dessus, un bout de prière, et puis vite aux signaux d'alarme.

« Malheureusement, la mer était trop grosse; j'eus beau appeler, appeler, personne ne vint... Me voilà seul dans le phare avec mon pauvre Tchéco, et Dieu sait pour combien de temps... J'espérais pouvoir le garder près de moi jusqu'à l'arrivée du bateau! mais au bout de trois jours ce n'était plus possible... Comment faire? le porter dehors? l'enterrer? La roche était trop dure, et il y a tant de corbeaux dans l'île. C'était pitié de leur abandonner ce chrétien. Alors je songeai

à le descendre dans une des logettes du lazaret...
Ça me prit tout un après-midi, cette triste cor-
vée-là, et je vous réponds qu'il m'en fallut, du
courage. Tenez! monsieur, encore aujourd'hui,
quand je descends ce côté de l'île par un après-
midi de grand vent, il me semble que j'ai toujours le mort sur les épaules... »

Pauvre vieux Bartoli! La sueur lui en coulait
sur le front, rien que d'y penser.

*

Nos repas se passaient ainsi à causer longuement : le phare, la mer, des récits de naufrages,
des histoires de bandits corses... Puis, le jour
tombant, le gardien du premier quart allumait
sa petite lampe, prenait sa pipe, sa gourde, un
gros Plutarque à tranche rouge, toute la bibliothèque des Sanguinaires, et disparaissait par le
fond. Au bout d'un moment, c'était dans tout
le phare un fracas de chaînes, de poulies, de gros
poids d'horloges qu'on remontait.

Moi, pendant ce temps, j'allais m'asseoir dehors sur la terrasse. Le soleil, déjà très bas, descendait vers l'eau de plus en plus vite, entraînant tout l'horizon après lui. Le vent fraîchissait, l'île devenait violette. Dans le ciel, près de
moi, un gros oiseau passait lourdement : c'était
l'aigle de la tour génoise qui rentrait... Peu à
peu la brume de mer montait. Bientôt on ne

voyait plus que l'ourlet blanc de l'écume autour
de l'île... Tout à coup, au-dessus de ma tête, jail-
lissait un grand flot de lumière douce. Le phare
était allumé. Laissant toute l'île dans l'ombre, le
clair rayon allait tomber au large sur la mer, et
j'étais là perdu dans la nuit, sous ces grandes
ondes lumineuses qui m'éclaboussaient à peine
en passant... Mais le vent fraîchissait encore. Il
fallait rentrer. A tâtons, je fermais la grosse
porte, j'assurais les barres de fer; puis, toujours
tâtonnant, je prenais un petit escalier de fonte
qui tremblait et sonnait sous mes pas, et j'arrivais au sommet du phare. Ici, par exemple, il y
en avait de la lumière.

Imaginez une lampe Carcel gigantesque à six
rangs de mèches, autour de laquelle pivotent
lentement les parois de la lanterne, les unes
remplies par une énorme lentille de cristal, les
autres ouvertes sur un grand vitrage immobile
qui met la flamme à l'abri du vent... En entrant
j'étais ébloui. Ces cuivres, ces étains, ces réflec-
teurs de métal blanc, ces murs de cristal bombé
qui tournaient avec de grands cercles bleuâtres,
tout ce miroitement, tout ce cliquetis de lumière me donnait un moment de vertige.

Peu à peu, cependant, mes yeux s'y faisaient,
et je venais m'asseoir au pied même de la lampe,
à côté du gardien qui lisait son Plutarque à
haute voix, de peur de s'endormir...

Au-dehors, le noir, l'abîme. Sur le petit balcon qui tourne autour du vitrage, le vent court comme un fou, en hurlant. Le phare craque, la mer ronfle. A la pointe de l'île, sur les brisants, les lames font comme des coups de canon... Par moments, un doigt invisible frappe aux carreaux : quelque oiseau de nuit, que la lumière attire, et qui vient se casser la tête contre le cristal... Dans la lanterne étincelante et chaude, rien que le crépitement de la flamme, le bruit de l'huile qui s'égoutte, de la chaîne qui se dévide : et une voix monotone psalmodiant la vie de Démétrius de Phalère...

*

A minuit, le gardien se levait, jetait un dernier coup d'œil à ses mèches, et nous descendions. Dans l'escalier on rencontrait le camarade du second quart qui montait en se frottant les yeux; on lui passait la gourde, le Plutarque... Puis, avant de gagner nos lits, nous entrions un moment dans la chambre du fond, tout encombrée de chaînes, de gros poids, de réservoirs d'étain, de cordages, et là, à la lueur de sa petite lampe, le gardien écrivait sur le grand livre du phare, toujours ouvert :

Minuit. Grosse mer. Tempête. Navire au large.

L'AGONIE DE LA « SÉMILLANTE »

Puisque le mistral de l'autre nuit nous a jetés sur la côte corse, laissez-moi vous raconter une terrible histoire de mer dont les pêcheurs de là-bas parlent souvent à la veillée, et sur laquelle le hasard m'a fourni des renseignements fort curieux.

... Il y a deux ou trois ans de cela.

Je courais la mer de Sardaigne en compagnie de sept ou huit matelots douaniers. Rude voyage pour un novice! De tout le mois de mars, nous n'eûmes pas un jour de bon. Le vent d'Est s'était acharné après nous, et la mer ne décolérait pas.

Un soir que nous fuyions devant la tempête, notre bateau vint se réfugier à l'entrée du détroit de Bonifacio, au milieu d'un massif de petites îles... Leur aspect n'avait rien d'engageant : grands rocs pelés, couverts d'oiseaux, quelques touffes d'absinthe, des maquis de lentisques, et, çà et là, dans la vase, des pièces de bois en train de pourrir; mais, ma foi, pour passer la nuit, ces roches sinistres valaient encore mieux que le rouf d'une vieille barque à demi pontée, où la lame entrait comme chez elle, et nous nous en contentâmes.

A peine débarqués, tandis que les matelots allumaient du feu pour la bouillabaisse, le patron m'appela, et, me montrant un petit enclos de maçonnerie blanche perdu dans la brume au bout de l'île :

« Venez-vous au cimetière? me dit-il.

— Un cimetière, patron Lionetti! Où sommes-nous donc?

— Aux îles Lavezzi, monsieur. C'est ici que sont enterrés les six cents hommes de la *Sémillante*, à l'endroit même où leur frégate s'est perdue, il y a dix ans... Pauvres gens! Ils ne reçoivent pas beaucoup de visites; c'est bien le moins que nous allions leur dire bonjour, puisque nous voilà...

— De tout mon cœur, patron. »

*

Qu'il était triste le cimetière de la *Sémillante*!... Je le vois encore avec sa petite muraille basse, sa porte de fer, rouillée, dure à ouvrir, sa chapelle silencieuse, et des centaines de croix noires cachées par l'herbe... Pas une couronne

d'immortelles, pas un souvenir! rien... Ah! les
pauvres morts abandonnés, comme ils doivent
avoir froid dans leur tombe de hasard!

Nous restâmes là un moment, agenouillés. Le
patron priait à haute voix. D'énormes goélands,
seuls gardiens du cimetière, tournoyaient sur nos
têtes et mêlaient leurs cris rauques aux lamen-
tations de la mer.

La prière finie, nous revînmes tristement vers
le coin de l'île où la barque était amarrée. En
notre absence, les matelots n'avaient pas perdu
leur temps. Nous trouvâmes un grand feu flam-
bant à l'abri d'une roche, et la marmite qui fu-
mait. On s'assit en rond, les pieds à la flamme,
et bientôt chacun eut sur ses genoux, dans une
écuelle de terre rouge, deux tranches de pain
noir arrosées largement. Le repas fut silencieux :
nous étions mouillés, nous avions faim, et puis
le voisinage du cimetière... Pourtant, quand les
écuelles furent vidées, on alluma les pipes et on
se mit à causer un peu. Naturellement, on parlait de la *Sémillante*.

« Mais enfin, comment la chose s'est-elle passée? demandai-je au patron qui, la tête dans ses
mains, regardait la flamme d'un air pensif.

— Comment la chose s'est passée? me répondit le bon Lionetti avec un gros soupir, hélas!
monsieur, personne au monde ne pourrait le
dire. Tout ce que nous savons, c'est que la *Sé-*

millante, chargée de troupes pour la Crimée, était partie de Toulon, la veille au soir, avec le mauvais temps. La nuit, ça se gâta encore. Du vent, de la pluie, la mer énorme comme on ne l'avait jamais vue... Le matin, le vent tomba un peu, mais la mer était toujours dans tous ses états, et avec cela une sacrée brume du diable à ne pas distinguer un fanal à quatre pas... Ces brumes-là, monsieur, on ne se doute pas comme c'est traître... Ça ne fait rien, j'ai idée que la *Sémillante* a dû perdre son gouvernail dans la matinée; car, il n'y a pas de brume qui tienne, sans une avarie, jamais le capitaine ne serait venu s'aplatir ici contre. C'était un rude marin, que nous connaissions tous. Il avait commandé la station en Corse pendant trois ans, et savait sa côte aussi bien que moi, qui ne sais pas autre chose.

— Et à quelle heure pense-t-on que la *Sémillante* a péri?

— Ce doit être à midi; oui, monsieur, en plein midi... Mais dame! avec la brume de mer, ce plein midi-là ne valait guère mieux qu'une nuit noire comme la gueule d'un loup... Un douanier de la côte m'a raconté que ce jour-là, vers onze heures et demie, étant sorti de sa maisonnette pour rattacher ses volets, il avait eu sa casquette emportée d'un coup de vent, et qu'au risque d'être enlevé lui-même par la lame, il

s'était mis à courir après, le long du rivage, à
quatre pattes. Vous comprenez! les douaniers ne
sont pas riches, et une casquette, ça coûte cher.
Or, il paraîtrait qu'à un moment notre homme,
en relevant la tête, aurait aperçu tout près de
lui, dans la brume, un gros navire à sec de toiles
qui fuyait sous le vent du côté des îles Lavezzi.
Ce navire allait si vite, si vite, que le douanier
n'eut guère le temps de bien voir. Tout fait
croire cependant que c'était la *Sémillante,*
puisqu'une demi-heure après le berger des îles
a entendu sur ces roches... Mais précisément voici
le berger dont je vous parle, monsieur; il va vous
conter la chose lui-même... Bonjour, Palombo!...
viens te chauffer un peu; n'aie pas peur. »

Un homme encapuchonné, que je voyais rôder
depuis un moment autour de notre feu et que
j'avais pris pour quelqu'un de l'équipage, car
j'ignorais qu'il y eût un berger dans l'île, s'approcha de nous craintivement.

C'était un vieux lépreux, aux trois quarts
idiot, atteint de je ne sais quel mal scorbutique
qui lui faisait de grosses lèvres lippues, horribles
à voir. On lui expliqua à grand-peine de quoi
il s'agissait. Alors, soulevant du doigt sa lèvre
malade, le vieux nous raconta qu'en effet, le
jour en question, vers midi, il entendit de sa cabane un craquement effroyable sur les roches.
Comme l'île était toute couverte d'eau, il n'avait

pas pu sortir, et ce fut le lendemain seulement qu'en ouvrant sa porte il avait vu le rivage encombré de débris et de cadavres laissés là par la mer. Epouvanté, il s'était enfui en courant vers sa barque, pour aller à Bonifacio chercher du monde.

*

Fatigué d'en avoir tant dit, le berger s'assit, et le patron reprit la parole :

« Oui, monsieur, c'est ce pauvre vieux qui est venu nous prévenir. Il était presque fou de peur; et, de l'affaire, sa cervelle en est restée détraquée. Le fait est qu'il y avait de quoi... Figurez-vous six cents cadavres en tas sur le sable, pêle-mêle avec les éclats de bois et les lambeaux de toile... Pauvre *Sémillante!*... la mer l'avait broyée du coup, et si bien mise en miettes que dans tous ses débris le berger Palombo n'a trouvé qu'à grand-peine de quoi faire une palissade autour de sa hutte... Quant aux hommes, presque tous défigurés, mutilés affreusement... c'était pitié de les voir accrochés les uns aux autres, par grappes... Nous trouvâmes le capitaine en grand costume, l'aumônier son étole au cou; dans un coin, entre deux roches, un petit mousse, les yeux ouverts... on aurait cru qu'il vivait encore; mais non! il était dit que pas un n'en réchapperait... »

Ici le patron s'interrompit :

« Attention, Nardi! » cria-t-il, le feu s'éteint.

Nardi jeta sur la braise deux ou trois morceaux de planches goudronnées qui s'enflammèrent, et Lionetti continua :

« Ce qu'il y a de plus triste dans cette histoire, le voici... Trois semaines avant le sinistre, une petite corvette, qui allait en Crimée comme la *Sémillante,* avait fait naufrage de la même façon, presque au même endroit; seulement, cette fois-là, nous étions parvenus à sauver l'équipage et vingt soldats du train qui se trouvaient à bord... Ces pauvres tringlots n'étaient pas à leur affaire, vous pensez! On les emmena à Bonifacio et nous les gardâmes pendant deux jours avec nous, à la *marine*... Une fois bien secs et remis sur pied, bonsoir! bonne chance! ils retournèrent à Toulon, où, quelque temps après, on les embarqua de nouveau pour la Crimée... Devinez sur quel navire!... Sur la *Sémillante,* monsieur... Nous les avons retrouvés tous, tous les vingt, couchés parmi les morts, à la place où nous sommes... Je relevai moi-même un joli brigadier à fines moustaches, un blondin de Paris, que j'avais couché à la maison et qui nous avait fait rire tout le temps avec ses histoires... De le voir là, ça me creva le cœur... Ah! Santa Madre!... »

Là-dessus, le brave Lionetti, tout ému, secoua

les cendres de sa pipe et se roula dans son caban
en me souhaitant la bonne nuit... Pendant
quelque temps encore, les matelots causèrent
entre eux à demi-voix... Puis, l'une après l'autre
les pipes s'éteignirent... On ne parla plus... Le
vieux berger s'en alla... Et je restai seul à rêver
au milieu de l'équipage endormi.

*

Encore sous l'impression du lugubre récit que
je venais d'entendre, j'essayais de reconstruire
dans ma pensée le pauvre navire défunt et l'histoire de cette agonie dont. les goélands ont été
seuls témoins. Quelques détails qui m'avaient
frappé, le capitaine en grand costume, l'étole de
l'aumônier, les vingt soldats du train, m'aidaient
à deviner toutes les péripéties du drame... Je
voyais la frégate partant de Toulon dans la
nuit... Elle sort du port. La mer est mauvaise, le
vent terrible; mais on a pour capitaine un vail-
lant marin, et tout le monde est tranquille à
bord...

Le matin, la brume de mer se lève. On
commence à être inquiet. Tout l'équipage est
en haut. Le capitaine ne quitte pas la dunette...
Dans l'entrepont, où les soldats sont renfermés,
il fait noir; l'atmosphère est chaude. Quelques-
uns sont malades, couchés sur leurs sacs. Le na-

vire tangue horriblement; impossible de se tenir
debout. On cause assis à terre, par groupes, en se
cramponnant aux bancs; il faut crier pour s'entendre. Il y en a qui commencent à avoir peur...
Écoutez donc! les naufrages sont fréquents dans
ces parages-ci; les tringlots sont là pour le dire,
et ce qu'ils racontent n'est pas rassurant. Leur
brigadier surtout, un Parisien qui blague toujours, vous donne la chair de poule avec ses plai-
santeries :

« Un naufrage!... mais c'est très amusant, un
naufrage. Nous en serons quittes pour un bain
à la glace, et puis on nous mènera à Bonifacio,
histoire de manger des merles chez le patron
Lionetti. »

Et les tringlots de rire...

Tout à coup, un craquement... Qu'est-ce que
c'est? Qu'arrive-t-il?...

« Le gouvernail vient de partir, dit un mate-
lot tout mouillé qui traverse l'entrepont en courant.

— Bon voyage! » crie cet enragé de brigadier; mais cela ne fait plus rire personne.

Grand tumulte sur le pont. La brume empêche de se voir. Les matelots vont et viennent,
effrayés, à tâtons... Plus de gouvernail! La manœuvre est impossible... La *Sémillante,* en dé-
rive, file comme le vent... C'est à ce moment que
le douanier la voit passer; il est onze heures et

demie. A l'avant de la frégate, on entend comme
un coup de canon... Les brisants! les brisants!..
C'est fini, il n'y a plus d'espoir, on va droit à la
côte... Le capitaine descend dans sa cabine... Au
bout d'un moment, il vient reprendre sa place
sur la dunette —, en grand costume... Il a voulu
se faire beau pour mourir.

Dans l'entrepont, les soldats, anxieux, se re
gardent, sans rien dire.. Les malades essayent de
se redresser... le petit brigadier ne rit plus..
C'est alors que la porte s'ouvre et que l'aumô
nier paraît sur le seuil avec son étole :

« A genoux, mes enfants! »

Tout le monde obéit. D'une voix retentis
sante, le prêtre commence la prière des agoni
sants.

Soudain, un choc formidable, un cri, un seul
cri, un cri immense, des bras tendus, des mains
qui se cramponnent, des regards effarés où la
vision de la mort passe comme un éclair...

Miséricorde!...

C'est ainsi que je passai tout la nuit à rêver,
évoquant, à dix ans de distance, l'âme du pauvre
navire dont les débris m'entouraient... Au loin,
dans le détroit, la tempête faisait rage; la flamme
du bivouac se courbait sous la rafale; et j'enten
dais notre barque danser au pied des roches en
faisant crier son amarre.

LES DOUANIERS

Le bateau l'*Emilie*, de Porto-Vecchio, à bord
duquel j'ai fait ce lugubre voyage aux îles Lavezzi, était une vieille embarcation de la
douane, à demi pontée, où l'on n'avait pour
s'abriter du vent, des lames, de la pluie, qu'un
petit rouf goudronné, à peine assez large pour
tenir une table et deux couchettes. Aussi il fallait voir nos matelots par le gros temps. Les
figures ruisselaient, les vareuses trempées fumaient comme du linge à l'étuve, et en plein
hiver les malheureux passaient ainsi des journées entières, même des nuits, accroupis sur
leurs bancs mouillés, à grelotter dans cette humi-
dité malsaine; car on ne pouvait pas allumer de
feu à bord, et la rive était souvent difficile à
atteindre... Eh bien, pas un de ces hommes ne
se plaignait. Par les temps les plus rudes, je leur
ai toujours vu la même placidité, la même
bonne humeur. Et pourtant, quelle triste vie
que celle de ces matelots douaniers!

Presque tous mariés, ayant femme et enfants

à terre, ils restent des mois dehors, à louvoyer
sur ces côtes si dangereuses. Pour se nourrir, ils
n'ont guère que du pain moisi et des oignons
sauvages. Jamais de vin, jamais de viande, parce
que la viande et le vin coûtent cher et qu'ils ne
gagnent que cinq cents francs par an! Cinq cents
francs par an! vous pensez si la hutte doit être
noire là-bas à la *marine,* et si les enfants doivent
aller pieds nus!... N'importe! Tous ces gens-là
paraissent contents. Il y avait à l'arrière, devant
le rouf, un grand baquet plein d'eau de pluie où
l'équipage venait boire, et je me rappelle que,
la dernière gorgée finie, chacun de ces pauvres
diables secouait son gobelet avec un « Ah! » de
satisfaction, une expression de bien-être à la fois
comique et attendrissante.

Le plus gai, le plus satisfait de tous, était un
petit Bonifacien hâlé et trapu qu'on appelait
Palombo. Celui-là ne faisait que chanter, même
dans les plus gros temps. Quand la lame devenait lourde, quand le ciel assombri et bas se remplissait de grésil, et qu'on était là tous, le nez en
l'air, la main sur l'écoute, à guetter le coup de
vent qui allait venir, alors, dans le grand silence
et l'anxiété du bord, la voix tranquille de Palombo commençait :

> *Non, monseigneur,*
> *C'est trop d'honneur.*

> *Lisette est sa...age,*
> *Reste au villa...age...*

Et la rafale avait beau souffler, faire gémir les grès, secouer et inonder la barque, la chanson du douanier allait son train, balancée comme une mouette à la pointe des vagues. Quelquefois le vent accompagnait trop fort, on n'entendait plus les paroles; mais, entre chaque coup de mer, dans le ruissellement de l'eau qui s'égouttait, le petit refrain revenait toujours :

> *Lisette est sa...age,*
> *Reste au villa...age...*

Un jour, pourtant, qu'il ventait et pleuvait très fort, je ne l'entendis pas. C'était si extraordinaire, que je sortis la tête du rouf :

« Eh! Palombo, on ne chante donc plus? »

Palombo ne répondit pas. Il était immobile, couché sous son banc. Je m'approchai de lui. Ses dents claquaient; tout son corps tremblait de fièvre.

« Il a une *pountoura* », me dirent ses camarades tristement.

Ce qu'ils appellent *pountoura,* c'est un point de côté, une pleurésie. Ce grand ciel plombé, cette barque ruisselante, ce pauvre fiévreux roulé dans un vieux manteau de caoutchouc qui lui-

sait sous la pluie comme une peau de phoque,
je n'ai jamais rien vu de plus lugubre. Bientôt
le froid, le vent, la secousse des vagues, aggra-
vèrent son mal. Le délire le prit; il fallut
aborder.

Après beaucoup de temps et d'efforts, nous
entrâmes vers le soir dans un petit port aride et
silencieux qu'animait seulement le vol circulaire de quelques *gouailles*. Tout autour de la
plage montaient de hautes roches escarpées, des
maquis inextricables d'arbustes verts, d'un vert
sombre, sans saison. En bas, au bord de l'eau,
une petite maison blanche à volets gris : c'était
le poste de la douane. Au milieu de ce désert,
cette bâtisse de l'Etat, numérotée comme une
casquette d'uniforme, avait quelque chose de sinistre. C'est là qu'on descendit le malheureux
Palombo. Triste asile pour un malade! Nous
trouvâmes le douanier en train de manger au
coin du feu avec sa femme et ses enfants. Tout
ce monde-là vous avait des mines hâves, jaunes,
des yeux agrandis, cerclés de fièvre. La mère,
jeune encore, un nourrisson sur le bras, grelottait en nous parlant.

« C'est un poste terrible, me dit tout bas l'inspecteur. Nous sommes obligés de renouveler nos
douaniers tous les deux ans. La fièvre de marais
les mange... »

Il s'agissait cependant de se procurer un mé-

lecin. Il n'y en avait pas avant Sartène, c'est-à-
dire à six ou huit lieues de là. Comment faire?
Nos matelots n'en pouvaient plus; c'était trop
loin pour envoyer un des enfants. Alors la
femme, se penchant dehors, appela :

« Cecco!... Cecco! »

Et nous vîmes entrer un grand gars bien dé-
couplé, vrai type de braconnier ou de *banditto,*
avec son bonnet de laine brune et son *pelone* en
poils de chèvre. En débarquant je l'avais déjà
remarqué, assis devant la porte, sa pipe rouge
aux dents, un fusil entre les jambes; mais, je ne
sais pourquoi, il s'était enfui à notre approche.
Peut-être croyait-il que nous avions des gen-
darmes avec nous. Quand il entra, la douanière
rougit un peu.

« C'est mon cousin... nous dit-elle. Pas de dan-
ger que celui-là se perde dans le maquis. »

Puis elle lui parla tout bas, en montrant le
malade. L'homme s'inclina sans répondre, sortit,
siffla son chien, et le voilà parti, le fusil sur
l'épaule, sautant de roche en roche avec ses
longues jambes.

Pendant ce temps-là les enfants, que la présence de l'inspecteur semblait terrifier, finis-
saient vite leur dîner de châtaignes et de *brucio*
(fromage blanc). Et toujours de l'eau, rien que
de l'eau sur la table! Pourtant, c'eût été bien
bon, un coup de vin, pour ces petits. Ah! mi-

sère! Enfin la mère monta les coucher; le père
allumant son falot, alla inspecter la côte, et nous
restâmes au coin du feu à veiller notre malade
qui s'agitait sur son grabat, comme s'il était encore en pleine mer, secoué par les lames. Pour
calmer un peu sa *pountoura,* nous faisions chauffer des galets, des briques qu'on lui posait sur le
côté. Une ou deux fois, quand je m'approchai
de son lit, le malheureux me reconnut, et, pour
me remercier, me tendit péniblement la main,
une grosse main râpeuse et brûlante comme une
de ces briques sorties du feu...

Triste veillée! Au-dehors, le mauvais temps
avait repris avec la tombée du jour, et c'était un
fracas, un roulement, un jaillissement d'écume,
la bataille des roches et de l'eau. De temps en
temps, le coup de vent du large parvenait à se
glisser dans la baie et enveloppait notre maison.
On le sentait à la montée subite de la flamme
qui éclairait tout à coup les visages mornes des
matelots, groupés autour de la cheminée et regardant le feu avec cette placidité d'expression
que donne l'habitude des grandes étendues et
des horizons pareils. Parfois aussi, Palombo se
plaignait doucement. Alors tous les yeux se tournaient vers le coin obscur où le pauvre camarade était en train de mourir, loin des siens,
sans secours; les poitrines se gonflaient et l'on
entendait de gros soupirs. C'est tout ce qu'arra-

chait à ces ouvriers de la mer, patients et doux,
le sentiment de leur propre infortune. Pas de
révoltes, pas de grèves. Un soupir, et rien de
plus!... Si, pourtant, je me trompe. En passant
devant moi pour jeter une bourrée au feu, un
d'eux me dit tout bas d'une voix navrée :

« Voyez-vous, monsieur... on a quelquefois
bien *du* tourment dans notre métier! »

LE CURÉ DE CUCUGNAN

Tous les ans, à la Chandeleur, les poètes provençaux publient en Avignon un joyeux petit
livre rempli jusqu'aux bords de beaux vers et de
jolis contes. Celui de cette année m'arrive à
l'instant, et j'y trouve un adorable fabliau que
je vais essayer de vous traduire en l'abrégeant
un peu... Parisiens, tendez vos mannes. C'est de
la fine fleur de farine provençale qu'on va vous
servir cette fois...

*

L'abbé Martin était curé... de Cucugnan.
Bon comme le pain, franc comme l'or, il aimait paternellement ses Cucugnanais; pour lui,
son Cucugnan aurait été le paradis sur terre, si
les Cucugnanais lui avaient donné un peu de
satisfaction. Mais, hélas! les araignées filaient
dans son confessionnal, et, le beau jour de
Pâques, les hosties restaient au fond de son saint

ciboire. Le bon prêtre en avait le cœur meurtri, et toujours il demandait à Dieu la grâce de ne pas mourir avant d'avoir ramené au bercail son troupeau dispersé.

Or, vous allez voir que Dieu l'entendit.

Un dimanche, après l'Evangile, M. Martin monta en chaire.

●

« Mes frères, dit-il, vous me croirez si vous voulez; l'autre nuit, je me suis trouvé, moi misérable pécheur, à la porte du paradis.

« Je frappai : saint Pierre m'ouvrit!

« — Tiens! c'est vous, mon brave monsieur « Martin, me dit-il; quel bon vent?... et qu'y « a-t-il pour votre service?

« — Beau saint Pierre, vous qui tenez le « grand livre et la clef, pourriez-vous me dire, « si je ne suis pas trop curieux, combien vous « avez de Cucugnanais en paradis?

« — Je n'ai rien à vous refuser, monsieur « Martin; asseyez-vous, nous allons voir la chose « ensemble. »

« Et saint Pierre prit son gros livre, l'ouvrit, mit ses besicles :

« — Voyons un peu : Cucugnan, disons-« nous. Cu... Cu... Cucugnan. Nous y sommes. « Cucugnan... Mon brave monsieur Martin, la

« page est toute blanche. Pas une âme... Pas plus
« de Cucugnanais que d'arêtes dans une dinde.

« — Comment! Personne de Cucugnan ici?
« Personne? Ce n'est pas possible! Regardez
« mieux...

« — Personne, saint homme. Regardez vous-
« même, si vous croyez que je plaisante. »

« Moi, pécaïre! je frappais des pieds, et, les
mains jointes, je criais miséricorde. Alors, saint
Pierre :

« — Croyez-moi, monsieur Martin, il ne faut
« pas ainsi vous mettre le cœur à l'envers, car
« vous pourriez en avoir quelque mauvais coup
« de sang. Ce n'est pas votre faute, après tout.
« Vos Cucugnanais, voyez-vous, doivent faire à
« coup sûr leur petite quarantaine en purga-
« toire.

« — Ah! par charité, grand saint Pierre!
« faites que je puisse au moins les voir et les
« consoler.

« — Volontiers, mon ami... Tenez, chaussez
« vite ces sandales, car les chemins ne sont pas
« beaux de reste... Voilà qui est bien... Mainte-
« nant, cheminez droit devant vous. Voyez-vous
« là-bas, au fond, en tournant? Vous trouverez
« une porte d'argent toute constellée de croix
« noires... à main droite... Vous frapperez, on
« vous ouvrira... Adessias! Tenez-vous sain et
« gaillardet. »

•

« Et je cheminai... je cheminai! Quelle battue! j'ai la chair de poule, rien que d'y songer.
Un petit sentier, plein de ronces, d'escarboucles
qui luisaient et de serpents qui sifflaient,
m'amena jusqu'à la porte d'argent.

« — Pan! pan!

« — Qui frappe? me fait une voix rauque
et dolente.

« — Le curé de Cucugnan.

« — De... ?

« — De Cucugnan.

« — Ah!... Entrez. »

« J'entrai. Un grand bel ange, avec des ailes
sombres comme la nuit, avec une robe resplen-
dissante comme le jour, avec une clef de dia-
mant pendue à sa ceinture, écrivait, cra-cra,
dans un grand livre plus gros que celui de saint
Pierre...

« — Finalement, que voulez-vous et que de-
« mandez-vous? dit l'ange.

« — Bel ange de Dieu, je veux savoir —, je
« suis bien curieux peut-être —, si vous avez
« ici les Cucugnanais.

« — Les...?

« — Les Cucugnanais, les gens de Cucu-
« gnan... que c'est moi qui suis leur prieur.

« — Ah! l'abbé Martin, n'est-ce pas?

« — Pour vous servir, monsieur l'ange. »

•

« — Vous dites donc Cucugnan... »

« Et l'ange ouvre et feuillette son grand livre, nouillant son doigt de salive pour que le feuillet glisse mieux...

« — Cucugnan, dit-il en poussant un long « soupir... Monsieur Martin, nous n'avons en « purgatoire personne de Cucugnan.

« — Jésus! Marie! Joseph! personne de Cu-« cugnan en purgatoire! O grand Dieu! où sont-« ils donc?

« — Eh! saint homme, ils sont en paradis. « Où diantre voulez-vous qu'ils soient?

« — Mais j'en viens, du paradis...

« — Vous en venez!... Eh bien?

« — Eh bien! ils n'y sont pas!... Ah! bonne « mère des anges!...

« — Que voulez-vous, monsieur le curé! s'ils « ne sont ni en paradis, ni en purgatoire, il n'y « a pas de milieu, ils sont...

« — Sainte croix! Jésus, fils de David! Aï! aï! « aï! est-il possible?... Serait-ce un mensonge du « grand saint Pierre?... Pourtant je n'ai pas « entendu chanter le coq!... Aï! pauvres nous!

« comment irai-je en paradis si mes Cucugnanais
« n'y sont pas?

« — Ecoutez, mon pauvre monsieur Martin,
« puisque vous voulez coûte que coûte être sûr
« de tout ceci, et voir de vos yeux de quoi il
« retourne, prenez ce sentier, filez en courant,
« si vous savez courir. Vous trouverez, à gauche,
« un grand portail. Là, vous vous renseignerez
« sur tout. Dieu vous le donne! »

« Et l'ange ferma la porte.

*

« C'était un long sentier tout pavé de braise
rouge. Je chancelais comme si j'avais bu; à
chaque pas, je trébuchais; j'étais tout en eau,
chaque poil de mon corps avait sa goutte de
sueur, et je haletais de soif... Mais, ma foi, grâce
aux sandales que le bon saint Pierre m'avait
prêtées, je ne me brûlai pas les pieds.

« Quand j'eus fait assez de faux pas clopin-
clopant, je vis à ma main gauche une porte...
non, un portail, un énorme portail, tout bâil-
lant, comme la porte d'un grand four. Oh! mes
enfants, quel spectacle! Là, on ne demande pas
mon nom; là, point de registre. Par fournées
et à pleine porte, on entre là, mes frères, comme
le dimanche vous entrez au cabaret.

« Je suais à grosses gouttes, et pourtant j'étais transi, j'avais le frisson. Mes cheveux se dressaient. Je sentais le brûlé, la chair rôtie, quelque chose comme l'odeur qui se répand dans notre Cucugnan quand Eloy, le maréchal, brûle pour la ferrer la botte d'un vieil âne. Je perdais haleine dans cet air puant et embrasé! j'entendais une clameur horrible, des gémissements, des hurlements et des jurements.

« — Eh bien, entres-tu ou n'entres-tu pas, « toi? — me fait, en me piquant de sa fourche, un démon cornu.

« — Moi? Je n'entre pas. Je suis un ami de « Dieu.

« — Tu es un ami de Dieu... Eh! b... de tei- « gneux! que viens-tu faire ici?...

« — Je viens... Ah! ne m'en parlez pas, que « je ne puis plus me tenir sur mes jambes... Je « viens... je viens de loin... humblement vous « demander... si... si, par coup de hasard... vous « n'auriez pas ici... quelqu'un... quelqu'un de « Cucugnan...

« — Ah! feu de Dieu! tu fais la bête, toi, « comme si tu ne savais pas que tout Cucugnan « est ici. Tiens, laid corbeau, regarde, et tu ver- « ras comme nous les arrangeons ici, tes fameux « Cucugnanais... »

*

« Et je vis, au milieu d'un épouvantable tourbillon de flamme :

« Le long Coq-Galine, — vous l'avez tous
connu, mes frères, — Coq-Galine, qui se grisait
si souvent, et si souvent secouait les puces à sa
pauvre Clairon.

« Je vis Catarinet... cette petite gueuse... avec
son nez en l'air... qui couchait toute seule à la
grange... Il vous en souvient, mes drôles!... Mais
passons, j'en ai trop dit.

« Je vis Pascal Doigt-de-Poix, qui faisait son
huile avec les olives de M. Julien.

« Je vis Babet la glaneuse, qui, en glanant,
pour avoir plus vite noué sa gerbe, puisait à
poignées aux gerbiers.

« Je vis maître Grapasi, qui huilait si bien
la roue de sa brouette.

« Et Dauphine, qui vendait si cher l'eau de
son puits.

« Et le Tortillard, qui, lorsqu'il me rencontrait portant le bon Dieu, filait son chemin, la
barrette sur la tête et la pipe au bec... et fier
comme Artaban... comme s'il avait rencontré un
chien.

« Et Coulau avec sa Zette, et Jacques, et
Pierre, et Toni... »

*

Emu, blême de peur, l'auditoire gémit, en
voyant, dans l'enfer tout ouvert, qui son père et
qui sa mère, qui sa grand-mère et qui sa sœur...

« Vous sentez bien, mes frères, reprit le bon
abbé Martin, vous sentez bien que ceci ne peut
pas durer. J'ai charge d'âmes, et je veux, je veux
vous sauver de l'abîme où vous êtes tous en train
de rouler tête première. Demain je me mets à
l'ouvrage, pas plus tard que demain. Et l'ouvrage
ne manquera pas! Voici comment je m'y pren-
drai. Pour que tout se fasse bien, il faut tout
faire avec ordre. Nous irons rang par rang,
comme à Jonquières quand on danse.

« Demain lundi, je confesserai les vieux et
les vieilles. Ce n'est rien.

« Mardi, les enfants. J'aurai bientôt fait.

« Mercredi, les garçons et les filles. Cela
pourra être long.

« Jeudi, les hommes. Nous couperons court.

« Vendredi, les femmes. Je dirai : Pas d'histoires!

« Samedi, le meunier!... Ce n'est pas trop
d'un jour pour lui tout seul...

« Et, si dimanche nous avons fini, nous serons
bien heureux.

« Voyez-vous, mes enfants, quand le blé est

mûr, il faut le couper; quand le vin est tiré, il
faut le boire. Voilà assez de linge sale, il s'agit
de le laver, et de le bien laver.

« C'est la grâce que je vous souhaite. *Amen!* »

•

Ce qui fut dit fut fait. On coula la lessive.

Depuis ce dimanche mémorable, le parfum
des vertus de Cucugnan se respire à dix lieues
à l'entour.

Et le bon pasteur, M. Martin, heureux et
plein d'allégresse, a rêvé l'autre nuit que, suivi
de tout son troupeau, il gravissait, en resplen-
dissante procession, au milieu des cierges allumés, d'un nuage d'encens qui embaumait et des
enfants de chœur qui chantaient *Te Deum,* le
chemin éclairé de la cité de Dieu.

Et voilà l'histoire du curé de Cucugnan, telle
que m'a ordonné de vous la dire ce grand gueu-
sard de Roumanille, qui la tenait lui-même d'un
autre bon compagnon.

LES VIEUX

« UNE lettre, père Azan?

— Oui, monsieur... ça vient de Paris. »

Il était tout fier que ça vînt de Paris, ce brave père Azan... Pas moi. Quelque chose me disait que cette Parisienne de la rue Jean-Jacques, tombant sur ma table à l'improviste et de si grand matin, allait me faire perdre toute ma journée. Je ne me trompais pas, voyez plutôt :

Il faut que tu me rendes un service, mon ami. Tu vas fermer ton moulin pour un jour et t'en aller tout de suite pour Eyguières... Eyguières est un gros bourg à trois ou quatre lieues de chez toi, — une promenade. En arrivant, tu demanderas le couvent des Orphelines. La première maison après le couvent est une maison basse à volets gris avec un jardinet derrière. Tu entreras sans frapper — la porte est toujours ouverte — et, en entrant, tu crieras bien fort : « Bonjour,

*braves gens! Je suis l'ami de Maurice... » Alors,
tu verras deux petits vieux, oh! mais vieux,
vieux, archivieux, te tendre les bras du fond de
leurs grands fauteuils, et tu les embrasseras de
ma part, avec tout ton cœur, comme s'ils étaient
à toi. Puis vous causerez; ils te parleront de moi,
rien que de moi; ils te raconteront mille folies
que tu écouteras sans rire... Tu ne riras pas,
hein?... Ce sont mes grands-parents, deux êtres
dont je suis toute la vie et qui ne m'ont pas vu
depuis dix ans... Dix ans, c'est long! Mais que
veux-tu! moi, Paris me tient; eux, c'est le grand
âge... Ils sont si vieux, s'ils venaient me voir, ils
se casseraient en route... Heureusement, tu es là-
bas, mon cher meunier, et, en t'embrassant, les
pauvres gens croiront m'embrasser un peu moi-
même... Je leur ai si souvent parlé de nous et de
cette bonne amitié dont...*

Le diable soit de l'amitié! Justement ce matin-
là il faisait un temps admirable, mais qui ne
valait rien pour courir les routes : trop de mistral et trop de soleil, une vraie journée de Provence. Quand cette maudite lettre arriva, j'avais
déjà choisi mon *cagnard* (abri) entre deux roches,
et je rêvais de rester là tout le jour, comme un
lézard, à boire de la lumière, en écoutant chanter les pins... Enfin, que voulez-vous faire? Je
fermai le moulin en maugréant, je mis la clef

sous la chatière. Mon bâton, ma pipe, et me
voilà parti.

J'arrivai à Eyguières vers deux heures. Le village était désert, tout le monde aux champs.
Dans les ormes du cours, blancs de poussière,
les cigales chantaient comme en pleine Crau. Il
y avait bien sur la place de la mairie un âne
qui prenait le soleil, un vol de pigeons sur la
fontaine de l'église, mais personne pour m'indi-
quer l'orphelinat. Par bonheur une vieille fée
m'apparut tout à coup, accroupie et filant dans
l'encoignure de sa porte; je lui dis ce que je
cherchais; et comme cette fée était très puissante,
elle n'eut qu'à lever sa quenouille : aussitôt le
couvent des Orphelines se dressa devant moi
comme par magie... C'était une grande maison
maussade et noire, toute fière de montrer au-dessus de son portail en ogive une vieille croix de
grès rouge avec un peu de latin autour. A côté
de cette maison, j'en aperçus une autre plus petite. Des volets gris, le jardin derrière... Je la
reconnus tout de suite, et j'entrai sans frapper.

Je reverrai toute ma vie ce long corridor frais
et calme, la muraille peinte en rose, le jardinet
qui tremblait au fond à travers un store de couleur claire, et sur tous les panneaux des fleurs
et des violons fanés. Il me semblait que j'arrivais
chez quelque vieux bailli du temps de Sedaine...
Au bout du couloir, sur la gauche, par une porte

entrouverte on entendait le tic-tac d'une grosse
horloge et une voix d'enfant, mais d'enfant à
l'école, qui lisait en s'arrêtant à chaque syllabe :
A...LORS... SAINT... I...RÉNÉE... S'ÉCRIA... JE...
SUIS... LE... FRO... MENT... DU... SEIGNEUR... IL...
FAUT... QUE... JE... SOIS... MOU... LU... PAR...
LA... DENT... DE... CES... A...NI...MAUX... Je m'ap-
prochai doucement de cette porte et je regardai...

Dans le calme et le demi-jour d'une petite
chambre, un bon vieux à pommettes roses, ridé
jusqu'au bout des doigts, dormait au fond d'un
fauteuil, la bouche ouverte, les mains sur ses genoux. A ses pieds, une fillette habillée de bleu,
— grande pèlerine et petit béguin, le costume
des orphelines, — lisait la Vie de saint Irénée
dans un livre plus gros qu'elle... Cette lecture
miraculeuse avait opéré sur toute la maison. Le
vieux dormait dans son fauteuil, les mouches
au plafond, les canaris dans leur cage, là-bas sur
la fenêtre. La grosse horloge ronflait, tic-tac, tic-
tac. Il n'y avait d'éveillé dans toute la chambre
qu'une grande bande de lumière qui tombait
droite et blanche entre les volets clos, pleine
d'étincelles vivantes et de valses microscopiques...
Au milieu de l'assoupissement général, l'enfant
continuait sa lecture d'un air grave : AUS... SI...
TOT... DEUX... LIONS... SE... PRÉ... CI... PI... TÈ...
RENT... SUR... LUI... ET... LE... DÉ... VO... RÈ...
RENT... C'est à ce moment que j'entrai... Les

lions de saint Irénée se précipitant dans la chambre n'y auraient pas produit plus de stupeur que moi. Un vrai coup de théâtre! La petite pousse un cri, le gros livre tombe, les canaris, les mouches se réveillent, la pendule sonne, le vieux se dresse en sursaut, tout effaré, et moi-même, un peu troublé, je m'arrête sur le seuil en criant bien fort :

« Bonjour, braves gens! je suis l'ami de Maurice. »

Oh! alors, si vous l'aviez vu, le pauvre vieux, si vous l'aviez vu venir vers moi les bras tendus, m'embrasser, me serrer les mains, courir égaré dans la chambre, en faisant :

« Mon Dieu! mon Dieu!... »

Toutes les rides de son visage riaient. Il était rouge. Il bégayait :

« Ah! monsieur... ah! monsieur... »

Puis il allait vers le fond en appelant :

« Mamette! »

Une porte qui s'ouvre, un trot de souris dans le couloir... c'était Mamette. Rien de joli comme cette petite vieille avec son bonnet à coque, sa robe carmélite, et son mouchoir brodé qu'elle tenait à la main pour me faire honneur, à l'ancienne mode... Chose attendrissante : ils se ressemblaient. Avec un tour et des coques jaunes, il aurait pu s'appeler Mamette, lui aussi. Seulement la vraie Mamette avait dû beaucoup pleu

rer dans sa vie, et elle était encore plus ridée
que l'autre. Comme l'autre aussi, elle avait près
d'elle une enfant de l'orphelinat, petite garde
en pèlerine bleue, qui ne la quittait jamais; et
de voir ces vieillards protégés par ces orphelines,
c'était ce qu'on peut imaginer de plus touchant.

En entrant, Mamette avait commencé par me
faire une grande révérence, mais d'un mot le
vieux lui coupa sa révérence en deux :

« C'est l'ami de Maurice... »

Aussitôt la voilà qui tremble, qui pleure, perd
son mouchoir, qui devient rouge, toute rouge,
encore plus rouge que lui... Ces vieux! ça n'a
qu'une goutte de sang dans les veines, et à la
moindre émotion elle leur saute au visage...

« Vite, vite, une chaise... dit la vieille à sa
petite.

— Ouvre les volets... » crie le vieux à la
sienne.

Et, me prenant chacun par une main, ils
m'emmenèrent en trottinant jusqu'à la fenêtre,
qu'on a ouverte toute grande pour mieux me
voir. On approche les fauteuils, je m'installe
entre les deux sur un pliant, les petites bleues
derrière nous, et l'interrogatoire commence :

« Comment va-t-il? Qu'est-ce qu'il fait? Pourquoi ne vient-il pas? Est-ce qu'il est content?... »

Et patati! et patata! Comme cela pendant des
heures.

Moi, je répondais de mon mieux à toutes leurs questions, donnant sur mon ami les détails que je savais, inventant effrontément ceux que je ne savais pas, me gardant surtout d'avouer que je n'avais jamais remarqué si ses fenêtres fermaient bien ou de quelle couleur était le papier de sa chambre.

« Le papier de sa chambre!... Il est bleu, madame, bleu clair, avec des guirlandes...

— Vraiment? » faisait la pauvre vieille attendrie; et elle ajoutait en se tournant vers son mari : « C'est un si brave enfant! »

« Oh! oui, c'est un brave enfant! » reprenait l'autre avec enthousiasme.

Et, tout le temps que je parlais, c'étaient entre eux des hochements de tête, de petits rires fins, des clignements d'yeux, des airs entendus, ou bien encore le vieux qui se rapprochait pour me dire :

« Parlez plus fort... Elle a l'oreille un peu dure. »

Et elle de son côté :

« Un peu plus haut, je vous prie!... Il n'entend pas très bien... »

Alors j'élevais la voix : et tous deux me remerciaient d'un sourire; et dans ces sourires fanés qui se penchaient vers moi, cherchant jusqu'au fond de mes yeux l'image de leur Maurice, moi, j'étais tout ému de la retrouver cette image, vague, voilée, presque insaisissable, comme si je voyais mon ami me sourire, très loin, dans un brouillard.

*

Tout à coup le vieux se dresse sur son fauteuil :

« Mais j'y pense, Mamette... il n'a peut-être pas déjeuné ! »

Et Mamette, effarée, les bras au ciel :

« Pas déjeuné !... Grand Dieu ! »

Je croyais qu'il s'agissait encore de Maurice, et j'allais répondre que ce brave enfant n'attendait jamais plus tard que midi pour se mettre à table. Mais non, c'était bien de moi qu'on parlait; et il faut voir quel branlebas quand j'avouai que j'étais encore à jeun :

« Vite le couvert, petites bleues ! La table au milieu de la chambre, la nappe du dimanche, les assiettes à fleurs. Et ne rions pas tant, s'il vous plaît ! et dépêchons-nous... »

Je crois bien qu'elles se dépêchaient. A peine le temps de casser trois assiettes, le déjeuner se trouva servi.

« Un bon petit déjeuner ! me disait Mamette en me conduisant à table; seulement vous serez tout seul... Nous autres, nous avons déjà mangé ce matin. »

Ces pauvres vieux! à quelque heure qu'on les prenne, ils ont toujours mangé le matin.

Le bon petit déjeuner de Mamette, c'était deux doigts de lait, des dattes et une *barquette*, quelque chose comme un échaudé; de quoi la nourrir elle et ses canaris au moins pendant huit jours... Et dire qu'à moi seul je vins à bout de toutes ces provisions!... Aussi quelle indignation autour de la table! Comme les petites bleues chuchotaient en se poussant du coude, et là-bas, au fond de leur cage, comme les canaris avaient l'air de se dire : « Oh! ce monsieur qui mange toute la *barquette!* »

Je la mangeai toute, en effet, et presque sans m'en apercevoir, occupé que j'étais à regarder autour de moi dans cette chambre claire et paisible où flottait comme une odeur de choses anciennes... Il y avait surtout deux petits lits dont je ne pouvais pas détacher mes yeux. Ces lits, presque deux berceaux, je me les figurais le matin, au petit jour, quand ils sont encore enfouis sous leurs grands rideaux à franges. Trois heures sonnent. C'est l'heure où tous les vieux se réveillent :

« Tu dors, Mamette?

— Non, mon ami.

— N'est-ce pas que Maurice est un brave enfant?

— Oh! oui, c'est un brave enfant. »

Et j'imaginais comme cela toute une causerie, rien que pour avoir vu ces deux petits lits de vieux, dressés l'un à côté de l'autre...

Pendant ce temps, un drame terrible se passait à l'autre bout de la chambre, devant l'armoire. Il s'agissait d'atteindre là-haut, sur le dernier rayon, certain bocal de cerises à l'eau-de-vie qui attendait Maurice depuis dix ans et dont on voulait me faire l'ouverture. Malgré les supplications de Mamette, le vieux avait tenu à aller chercher ses cerises lui-même; et, monté sur une chaise au grand effroi de sa femme, il essayait d'arriver là-haut... Vous voyez le tableau d'ici, le vieux qui tremble et qui se hisse, les petites bleues cramponnées à sa chaise, Mamette derrière lui haletante, les bras tendus, et sur tout cela un léger parfum de bergamote qui s'exhale de l'armoire ouverte et des grandes piles de linge roux... C'était charmant.

Enfin, après bien des efforts, on parvint à le tirer de l'armoire, ce fameux bocal, et avec lui une vieille timbale d'argent toute bosselée, la timbale de Maurice quand il était petit. On me la remplit de cerises jusqu'au bord; Maurice les aimait tant, les cerises! Et tout en me servant, le vieux me disait à l'oreille d'un air de gourmandise :

« Vous êtes bien heureux, vous, de pouvoir en manger!... C'est ma femme qui les a faites...

Vous allez goûter quelque chose de bon. »

Hélas! sa femme les avait faites, mais elle avait oublié de les sucrer. Que voulez-vous! on devient distrait en vieillissant. Elles étaient atroces, vos cerises, ma pauvre Mamette... Mais cela ne m'empêcha pas de les manger jusqu'au bout, sans sourciller.

*

Le repas terminé, je me levai pour prendre congé de mes hôtes. Ils auraient bien voulu me garder encore un peu pour causer du brave enfant, mais le jour baissait, le moulin était loin, il fallait partir.

Le vieux s'était levé en même temps que moi.

« Mamette, mon habit!... Je veux le conduire jusqu'à la place. »

Bien sûr qu'au fond d'elle-même, Mamette trouvait qu'il faisait déjà un peu frais pour me conduire jusqu'à la place; mais elle n'en laissa rien paraître. Seulement, pendant qu'elle l'aidait à passer les manches de son habit, un bel habit tabac d'Espagne à boutons de nacre, j'entendais la chère créature qui lui disait doucement :

« Tu ne rentreras pas trop tard, n'est-ce pas? »

Et lui, d'un petit air malin :

« Hé! Hé!... je ne sais pas... peut-être... »

Là-dessus, ils se regardaient en riant, et les petites bleues riaient de les voir rire, et dans leur coin les canaris riaient aussi à leur manière... Entre nous, je crois que l'odeur des cerises les avait tous un peu grisés.

... La nuit tombait, quand nous sortîmes, le grand-père et moi. La petite bleue nous suivait de loin pour le ramener; mais lui ne la voyait pas, et il était tout fier de marcher à mon bras, comme un homme. Mamette, rayonnante, voyait cela du pas de sa porte, et elle avait en nous regardant de jolis hochements de tête qui semblaient dire : « Tout de même, mon pauvre homme!... il marche encore. »

BALLADES EN PROSE

EN ouvrant ma porte ce matin, il y avait autour de mon moulin un grand tapis de gelée blanche. L'herbe luisait et craquait comme du verre; toute la colline grelottait... Pour un jour ma chère Provence s'était déguisée en pays du Nord; et c'est parmi les pins frangés de givre, les touffes de lavandes épanouies en bouquets de cristal, que j'ai écrit ces deux ballades d'une fantaisie un peu germanique, pendant que la gelée m'envoyait ses étincelles blanches, et que là-haut, dans le ciel clair, de grands triangles de cigognes venues du pays de Henri Heine descendaient vers la Camargue en criant : « Il fait froid... froid... »

I

LA MORT DU DAUPHIN

LE petit Dauphin est malade, le petit Dauphin va mourir... Dans toutes les églises du royaume,

le Saint-Sacrement demeure exposé nuit et jour
et de grands cierges brûlent pour la guérison de
l'enfant royal. Les rues de la vieille résidence
sont tristes et silencieuses, les cloches ne sonnent
plus, les voitures vont au pas... Aux abords du
palais, les bourgeois curieux regardent, à travers
les grilles, des suisses à bedaines dorées qui
causent dans les cours d'un air important.

Tout le château est en émoi... Des chambel-
lans, des majordomes, montent et descendent
en courant les escaliers de marbre... Les galeries
sont pleines de pages et de courtisans en habits
de soie qui vont d'un groupe à l'autre quêter
des nouvelles à voix basse. Sur les larges perrons,
les dames d'honneur éplorées se font de grandes
révérences en essuyant leurs yeux avec de jolis
mouchoirs brodés.

Dans l'Orangerie, il y a nombreuse assemblée
de médecins en robe. On les voit, à travers les
vitres, agiter leurs longues manches noires et
incliner doctoralement leurs perruques à marteaux... Le gouverneur et l'écuyer du petit Dauphin se promènent devant la porte, attendant
les décisions de la Faculté. Des marmitons
passent à côté d'eux sans les saluer. M. l'écuyer
jure comme un païen, M. le gouverneur récite
des vers d'Horace... Et pendant ce temps-là, là-
bas, du côté des écuries, on entend un long hen-
nissement plaintif. C'est l'alezan du petit

Dauphin que les palefreniers oublient et qui appelle tristement devant sa mangeoire vide.

Et le roi! Où est monseigneur le roi?... Le roi s'est enfermé tout seul dans une chambre, au bout du château... Les Majestés n'aiment pas qu'on les voie pleurer... Pour la reine, c'est autre chose... Assise au chevet du petit Dauphin, elle a son beau visage baigné de larmes, et sanglote bien haut devant tous, comme ferait une drapière.

Dans sa couchette de dentelles, le petit Dauphin, plus blanc que les coussins sur lesquels il est étendu, repose, les yeux fermés. On croit qu'il dort; mais non. Le petit Dauphin ne dort pas... Il se retourne vers sa mère, et voyant qu'elle pleure, il lui dit :

« Madame la reine, pourquoi pleurez-vous? Est-ce que vous croyez bonnement que je m'en vais mourir? »

La reine veut répondre. Les sanglots l'empêchent de parler.

« Ne pleurez donc pas, madame la reine; vous oubliez que je suis le Dauphin, et que les Dauphins ne peuvent pas mourir ainsi... »

La reine sanglote encore plus fort, et le petit Dauphin commence à s'effrayer.

« Holà, dit-il, je ne veux pas que la mort vienne me prendre, et je saurai bien l'empêcher d'arriver jusqu'ici... Qu'on fasse venir sur l'heure quarante lansquenets très forts pour monter la garde autour de notre lit!... Que cent gros canons veillent nuit et jour, mèche allumée, sous nos fenêtres! Et malheur à la mort, si elle ose s'approcher de nous!... »

Pour complaire à l'enfant royal, la reine fait un signe. Sur l'heure, on entend les gros canons qui roulent dans la cour; et quarante grands lansquenets, la pertuisane au poing, viennent se ranger autour de la chambre. Ce sont de vieux soudards à moustaches grises. Le petit Dauphin bat des mains en les voyant. Il en reconnaît un et l'appelle :

« Lorrain! Lorrain! »

Le soudard fait un pas vers le lit :

« Je t'aime bien, mon vieux Lorrain... Fais voir un peu ton grand sabre... Si la mort veut me prendre, il faudra la tuer, n'est-ce pas? »

Lorrain répond :

« Oui, monseigneur. »

Et il a deux grosses larmes qui coulent sur ses joues tannées.

A ce moment, l'aumônier s'approche du petit Dauphin et lui parle longtemps à voix basse en lui montrant un crucifix. Le petit Dauphin l'écoute d'un air fort étonné, puis tout à coup l'interrompant :

« Je comprends bien ce que vous me dites, monsieur l'abbé : mais enfin est-ce que mon petit ami Beppo ne pourrait pas mourir à ma place, en lui donnant beaucoup d'argent?... »

L'aumônier continue à lui parler à voix basse, et le petit Dauphin a l'air de plus en plus étonné.

Quand l'aumônier a fini, le petit Dauphin reprend avec un soupir :

« Tout ce que vous me dites là est bien triste, monsieur l'abbé; mais une chose me console, c'est que là-haut, dans le paradis des étoiles, je vais encore être le Dauphin... Je sais que le bon Dieu est mon cousin et ne peut pas manquer de me traiter selon mon rang. »

Puis il ajoute, en se tournant vers sa mère :

« Qu'on apporte mes plus beaux habits, mon pourpoint d'hermine blanche et mes escarpins de velours! Je veux me faire brave pour les anges et entrer au paradis en costume de Dauphin. »

Une troisième fois, l'aumônier se penche vers le petit Dauphin et lui parle longuement à voix basse... Au milieu de son discours, l'enfant royal l'interrompt avec colère :

« Mais alors, crie-t-il, d'être Dauphin, ce n'est rien du tout! »

Et, sans vouloir plus rien entendre, le petit Dauphin se tourne vers la muraille, et il pleure amèrement.

II

LE SOUS-PRÉFET AUX CHAMPS

M. le sous-préfet est en tournée. Cocher devant, laquais derrière, la calèche de la sous-préfecture l'emporte majestueusement au concours régional de la Combe-aux-Fées. Pour cette journée mémorable, M. le sous-préfet a mis son bel habit brodé, son petit claque, sa culotte collante à bandes d'argent et son épée de gala à poignée de nacre... Sur ses genoux repose une grande serviette en chagrin gaufré qu'il regarde tristement.

M. le sous-préfet regarde tristement sa serviette en chagrin gaufré : il songe au fameux discours qu'il va falloir prononcer tout à l'heure devant les habitants de la Combe-aux-Fées :

« Messieurs et chers administrés... »

Mais il a beau tortiller la soie blonde de ses favoris et répéter vingt fois de suite :

« Messieurs et chers administrés... » la suite du discours ne vient pas.

La suite du discours ne vient pas... Il fait si chaud dans cette calèche! A perte de vue, la

route de la Combe-aux-Fées poudroie sous le
soleil du Midi... L'air est embrasé... et sur les
ormeaux du bord du chemin, tout couverts de
poussière blanche, des milliers de cigales se ré-
pondent d'un arbre à l'autre... Tout à coup
M. le sous-préfet tressaille. Là-bas, au pied d'un
coteau, il vient d'apercevoir un petit bois de
chênes verts qui semble lui faire signe :

Le petit bois de chênes verts semble lui faire
signe :

« Venez donc par ici, monsieur le sous-préfet;
pour composer votre discours, vous serez beaucoup mieux sous mes arbres... »

M. le sous-préfet est séduit; il saute à bas de
sa calèche et dit à ses gens de l'attendre, qu'il
va composer son discours dans le petit bois de
chênes verts.

Dans le petit bois de chênes verts il y a des
oiseaux, des violettes, et des sources sous l'herbe
fine... Quand ils ont aperçu M. le sous-préfet
avec sa belle culotte et sa serviette en chagrin
gaufré, les oiseaux ont eu peur et se sont arrêtés
de chanter, les sources n'ont plus osé faire de
bruit, et les violettes se sont cachées dans le
gazon... Tout ce petit monde-là n'a jamais vu
de sous-préfet, et se demande à voix basse quel
est ce beau seigneur qui se promène en culotte
d'argent.

A voix basse, sous la feuillée, on se demande

quel est ce beau seigneur en culotte d'argent...
Pendant ce temps-là, M. le sous-préfet, ravi du
silence et de la fraîcheur du bois, relève les pans
de son habit, pose son claque sur l'herbe et s'as-
sied dans la mousse au pied d'un jeune chêne;
puis il ouvre sur ses genoux sa grande serviette
de chagrin gaufré et en tire une large feuille de
papier ministre.

« C'est un artiste! dit la fauvette.

— Non, dit le bouvreuil, ce n'est pas un artiste, puisqu'il a une culotte en argent; c'est
plutôt un prince.

— C'est plutôt un prince, dit le bouvreuil.

— Ni un artiste, ni un prince, interrompt un
vieux rossignol, qui a chanté toute une saison
dans les jardins de la sous-préfecture... Je sais ce
que c'est : c'est un sous-préfet! »

Et tout le petit bois va chuchotant :

« C'est un sous-préfet! c'est un sous-préfet!

— Comme il est chauve! » remarque une
alouette à grande huppe.

Les violettes demandent :

« Est-ce que c'est méchant?

— Est-ce que c'est méchant? » demandent les
violettes.

Le vieux rossignol répond :

« Pas du tout! »

Et sur cette assurance, les oiseaux se remettent
à chanter, les sources à courir, les violettes à

embaumer, comme si le monsieur n'était pas
là... Impassible au milieu de tout ce joli tapage,
M. le sous-préfet invoque dans son cœur la Muse
des comices agricoles, et, le crayon levé, commence à déclamer de sa voix de cérémonie :

« Messieurs et chers administrés...

— Messieurs et chers administrés », dit le
sous-préfet de sa voix de cérémonie...

Un éclat de rire l'interrompt; il se retourne
et ne voit rien qu'un gros pivert qui le regarde
en riant, perché sur son claque. Le sous-préfet
hausse les épaules et veut continuer son discours;
mais le pivert l'interrompt encore et lui crie
de loin :

« A quoi bon?

— Comment! à quoi bon? » dit le sous-préfet,
qui devient tout rouge; et, chassant d'un geste
cette bête effrontée, il reprend de plus belle :

« Messieurs et chers administrés...

— Messieurs et chers administrés... » a repris
le sous-préfet de plus belle.

Mais alors, voilà les petites violettes qui se
haussent vers lui sur le bout de leurs tiges et
qui lui disent doucement :

« Monsieur le sous-préfet, sentez-vous comme
nous sentons bon? »

Et les sources lui font sous la mousse une musique divine; et dans les branches, au-dessus de
sa tête, des tas de fauvettes viennent lui chanter

leurs plus jolis airs : et tout le petit bois conspire pour l'empêcher de composer son discours.

Tout le petit bois conspire pour l'empêcher
de composer son discours... M. le sous-préfet,
grisé de parfums, ivre de musique, essaye vai-
nement de résister au nouveau charme qui l'en-
vahit. Il s'accoude sur l'herbe, dégrafe son bel
habit, balbutie encore deux ou trois fois :

« Messieurs et chers administrés... Messieurs
et chers admi... Messieurs et chers... »

Puis il envoie les administrés au diable; et la
Muse des comices agricoles n'a plus qu'à se voi-
ler la face.

Voile-toi la face, ô Muse des comices agricoles!... Lorsque, au bout d'une heure, les gens
de la sous-préfecture, inquiets de leur maître,
sont entrés dans le petit bois, ils ont vu un spectacle qui les a fait reculer d'horreur... M. le
sous-préfet était couché sur le ventre, dans
l'herbe, débraillé comme un bohème. Il avait
mis son habit bas... et, tout en mâchonnant des
violettes, M. le sous-préfet faisait des vers.

LE PORTEFEUILLE DE BIXIOU

Un matin du mois d'octobre, quelques jours avant de quitter Paris, je vis arriver chez moi — pendant que je déjeunais — un vieil homme en habit râpé, cagneux, crotté, l'échine basse, grelottant sur ses longues jambes comme un échassier déplumé. C'était Bixiou. Oui, Parisiens, votre Bixiou, le féroce et charmant Bixiou, ce railleur enragé qui vous a tant réjouis depuis quinze ans avec ses pamphlets et ses caricatures... Ah! le malheureux, quelle détresse! Sans une grimace qu'il fit en entrant, jamais je ne l'aurais reconnu.

La tête inclinée sur l'épaule, sa canne aux dents comme une clarinette, l'illustre et lugubre farceur s'avança jusqu'au milieu de la chambre et vint se jeter contre ma table en disant d'une voix dolente :

« Ayez pitié d'un pauvre aveugle!... »

C'était si bien imité que je ne puis m'empêcher de rire. Mais lui, très froidement :

« Vous croyez que je plaisante... regardez mes yeux. »

Et il tourna vers moi deux grandes prunelles blanches sans un regard.

« Je suis aveugle, mon cher, aveugle pour la vie... Voilà ce que c'est que d'écrire avec du vitriol. Je me suis brûlé les yeux à ce joli métier; mais là, brûlé à fond... jusqu'aux bobèches! » ajouta-t-il en me montrant ses paupières calcinées où ne restait plus l'ombre d'un cil.

J'étais si ému que je ne trouvai rien à lui dire. Mon silence l'inquiéta :

« Vous travaillez?

— Non, Bixiou, je déjeune. Voulez-vous en faire autant? »

Il ne répondit pas, mais au frémissement de ses narines, je vis bien qu'il mourait d'envie d'accepter. Je le pris par la main, et je le fis asseoir près de moi.

Pendant qu'on le servait, le pauvre diable flairait la table avec un petit rire :

« Ça a l'air bon tout ça. Je vais me régaler; il y a si longtemps que je ne déjeune plus! Un pain d'un sou tous les matins, en courant les ministères... car, vous savez, je cours les ministères, maintenant; c'est ma seule profession. J'essaye d'accrocher un bureau de tabac... Qu'est-ce que vous voulez! il faut qu'on mange à la maison. Je ne peux plus dessiner; je ne peux plus

écrire... Dicter?... Mais quoi?... Je n'ai rien dans
la tête, moi; je n'invente rien... Mon métier,
c'était de voir les grimaces de Paris et de les
faire; à présent il n'y a plus moyen... Alors j'ai
pensé à un bureau de tabac; pas sur les boule-
vards, bien entendu. Je n'ai pas droit à cette
faveur, n'étant ni mère de danseuse, ni veuve
d'officier sperrior. Non! simplement un petit
bureau de province, quelque part, bien loin,
dans un coin des Vosges. J'aurai une forte pipe
en porcelaine; je m'appellerai Hans ou Zébédé,
comme dans Erckmann-Chatrian, et je me conso-
lerai de ne plus écrire en faisant des cornets de
tabac avec les œuvres de mes contemporains.

« Voilà tout ce que je demande. Pas grand-
chose, n'est-ce pas?... Eh bien, c'est le diable pour
y arriver... Pourtant les protections ne devraient
pas me manquer. J'étais très lancé autrefois. Je
dînais chez le maréchal, chez le prince, chez les
ministres; tous ces gens-là voulaient m'avoir
parce que je les amusais ou qu'ils avaient peur
de moi. A présent, je ne fais plus peur à personne. O mes yeux! mes pauvres yeux! Et l'on
ne m'invite nulle part. C'est si triste une tête
d'aveugle à table. Passez-moi le pain, je vous
prie... Ah! les bandits; ils me l'auront fait payer
cher ce malheureux bureau de tabac. Depuis
six mois, je me promène dans tous les ministères
avec ma pétition. J'arrive le matin, à l'heure où

on allume les poêles et où l'on fait faire un
jour aux chevaux de Son Excellence sur le sable
de la cour; je ne m'en vais qu'à la nuit, quand
on apporte les grosses lampes et que les cuisines
commencent à sentir bon...

« Toute ma vie se passe sur les coffres à bois
des antichambres. Aussi les huissiers me con-
naissent, allez! A l'intérieur, ils m'appellent :
« Ce bon monsieur! » Et moi, pour gagner leur
protection, je fais des calembours, ou je dessine
d'un trait sur un coin de leur buvard de grosses
moustaches qui les font rire... Voilà où j'en suis
arrivé après vingt ans de succès tapageurs, voilà
la fin d'une vie d'artiste!... Et dire qu'ils sont
en France quarante mille galopins à qui notre
profession fait venir l'eau à la bouche! Dire
qu'il y a tous les jours, dans les départements,
une locomotive qui chauffe pour nous apporter
des panerées d'imbéciles affamés de littérature
et de bruit imprimé!... Ah! province roma-
nesque, si la misère de Bixiou pouvait te servir
de leçon! »

Là-dessus il se fourra le nez dans son assiette
et se mit à manger avidement, sans dire un mot.
C'était pitié de le voir faire. A chaque minute,
il perdait son pain, sa fourchette, tâtonnait pour
trouver son verre. Pauvre homme! il n'avait pas
encore l'habitude.

*

Au bout d'un moment, il reprit :

« Savez-vous ce qu'il y a encore de plus horrible pour moi? C'est de ne plus pouvoir lire mes journaux. Il faut être du métier pour comprendre cela... Quelquefois le soir, en rentrant, j'en achète un, rien que pour sentir cette odeur de papier humide et de nouvelles fraîches... C'est si bon! et personne pour me les lire! Ma femme pourrait bien, mais elle ne veut pas : elle prétend qu'on trouve dans les faits divers des choses qui ne sont pas convenables... Ah! ces anciennes maîtresses, une fois mariées, il n'y a pas plus bégueules qu'elles. Depuis que j'en ai fait Mme Bixiou, celle-là s'est crue obligée de devenir bigote, mais à un point!... Est-ce qu'elle ne voulait pas me faire frictionner les yeux avec l'eau de la Salette! Et puis, le pain bénit, les quêtes, la Sainte-Enfance, les petits Chinois, que sais-je encore?... Nous sommes dans les bonnes œuvres jusqu'au cou... Ce serait cependant une bonne œuvre de me lire mes journaux. Eh bien, non, elle ne veut pas... Si ma fille était chez nous, elle me les lirait, elle; mais depuis que je suis aveugle, je l'ai fait entrer à Notre-Dame-des-Arts, pour avoir une bouche de moins à nourrir...

« Encore une qui me donne de l'agrément, celle-là ! Il n'y a pas neuf ans qu'elle est au monde, elle a déjà eu toutes les maladies... Et triste ! et laide ! plus laide que moi, si c'est possible... un monstre ! Que voulez-vous ! je n'ai jamais su faire que des charges... Ah ça, mais je suis bon, moi, de vous raconter mes histoires de famille. Qu'est-ce que cela peut vous faire à vous ?... Allons, donnez-moi encore un peu de cette eau-de-vie. Il faut que je me mette en train. En sortant d'ici je vais à l'Instruction publique, et les huissiers n'y sont pas faciles à dérider. C'est tous d'anciens professeurs. »

Je lui versai son eau-de-vie. Il commença à la déguster par petites fois, d'un air attendri... Tout à coup, je ne sais quelle fantaisie le piquant, il se leva, son verre à la main, promena un instant autour de lui sa tête de vipère aveugle, avec le sourire aimable du monsieur qui va parler, puis, d'une voix stridente, comme pour haranguer un banquet de deux cents couverts :

« Aux arts ! Aux lettres ! A la presse ! »

Et le voilà parti sur un toast de dix minutes, la plus folle et la plus merveilleuse improvisation qui soit jamais sortie de cette cervelle de pitre.

Figurez-vous une revue de fin d'année intitulée : *le Pavé des lettres en* 186*; nos assem-

blées soi-disant littéraires, nos papotages, nos
querelles, toutes les cocasseries d'un monde ex-
centrique, fumier d'encre, enfer sans grandeur,
où l'on s'égorge, où l'on s'étripe, où l'on se dé-
trousse, où l'on parle intérêts et gros sous bien
plus que chez les bourgeois, ce qui n'empêche
pas qu'on y meure de faim plus qu'ailleurs;
toutes nos lâchetés, toutes nos misères; le vieux
baron T... de la Tombola s'en allant faire « gna...
gna... gna... » aux Tuileries avec sa sébile et son
habit barbeau; puis nos morts de l'année, les
enterrements à réclames, l'oraison funèbre de
monsieur le délégué, toujours la même : « Cher
et regretté! pauvre cher! » à un malheureux
dont on refuse de payer la tombe; et ceux qui se
sont suicidés, et ceux qui sont devenus fous;
figurez-vous tout cela, raconté, détaillé, gesticulé
par un grimacier de génie, vous aurez alors une
idée de ce que fut l'improvisation de Bixiou.

*

Son toast fini, son verre bu, il me demanda
l'heure et s'en alla, d'un air farouche, sans me
dire adieu... J'ignore comment les huissiers de
M. Duruy se trouvèrent de sa visite ce matin-là;
mais je sais bien que jamais de ma vie je ne me
suis senti si triste, si mal en train qu'après le
départ de ce terrible aveugle. Mon encrier

m'écœurait, ma plume me faisait horreur. J'aurais voulu m'en aller loin, courir, voir des arbres,
sentir quelque chose de bon... Quelle haine,
grand Dieu! que de fiel! quel besoin de baver
sur tout, de tout salir! Ah! le misérable...

Et j'arpentais ma chambre avec fureur, croyant
toujours entendre le ricanement de dégoût qu'il
avait eu en me parlant de sa fille.

Tout à coup, près de la chaise où l'aveugle
s'était assis, je sentis quelque chose rouler sous
mon pied. Et me baissant, je reconnus son portefeuille, un gros portefeuille luisant, à coins
cassés, qui ne le quitte jamais et qu'il appelle
en riant sa poche à venin. Cette poche, dans
notre monde, était aussi renommée que les fameux cartons de M. Girardin. On disait qu'il y
avait des choses terribles là-dedans... L'occasion
se présentait belle pour m'en assurer. Le vieux
portefeuille, trop gonflé, s'était crevé en tombant, et tous les papiers avaient roulé sur le tapis; il me fallut les ramasser l'un après l'autre...

Un paquet de lettres écrites sur du papier à
fleurs, commençant toutes : *Mon cher papa,* et
signées : *Céline Bixiou, des enfants de Marie.*

D'anciennes ordonnances pour des maladies
d'enfants : croup, convulsions, scarlatine, rou-
geole... (la pauvre petite n'en avait pas échappé
une!).

Enfin, une grande enveloppe cachetée d'où

sortaient, comme d'un bonnet de fillette, deux ou trois crins jaunes tout frisés; et sur l'enveloppe, en grosse écriture tremblée, une écriture d'aveugle :

Cheveux de Céline, coupés le 13 mai, le jour de son entrée là-bas.

Voilà ce qu'il y avait dans le portefeuille de Bixiou.

Allons, Parisiens, vous êtes tous les mêmes. Le dégoût, l'ironie, un rire infernal, des blagues féroces, et puis pour finir : ... *Cheveux de Céline coupés le 13 mai.*

LA LÉGENDE
DE L'HOMME A LA CERVELLE D'OR

A la dame qui demande des histoires gaies.

En lisant votre lettre, madame, j'ai eu comme un remords. Je m'en suis voulu de la couleur un peu trop demi-deuil de mes historiettes, et je m'étais promis de vous offrir aujourd'hui quelque chose de joyeux, de follement joyeux.

Pourquoi serais-je triste, après tout? Je vis à mille lieues des brouillards parisiens, sur une colline lumineuse, dans le pays des tambourins et du vin muscat. Autour de chez moi tout n'est que soleil et musique; j'ai des orchestres de culs-blancs, des orphéons de mésanges; le matin, les courlis qui font : « Coureli! coureli! », à midi, les cigales; puis les pâtres qui jouent du fifre, et les belles filles brunes qu'on entend rire dans les vignes... En vérité, l'endroit est mal choisi pour broyer du noir; je devrais plutôt expédier aux dames des poèmes couleur de rose et des pleins paniers de contes galants.

Eh bien, non! je suis encore trop près de Paris. Tous les jours, jusque dans mes pins, il

m'envoie les éclaboussures de ses tristesses... A
l'heure même où j'écris ces lignes, je viens d'apprendre la mort misérable du pauvre Charles
Barbara; et mon moulin en est tout en deuil.
Adieu les courlis et les cigales! Je n'ai plus le
cœur à rien de gai... Voilà pourquoi, madame,
au lieu du joli conte badin que je m'étais promis de vous faire, vous n'aurez encore aujour-
d'hui qu'une légende mélancolique.

*

Il était une fois un homme qui avait une
cervelle d'or; oui, madame, une cervelle toute
en or. Lorsqu'il vint au monde, les médecins
pensaient que cet enfant ne vivrait pas, tant sa
tête était lourde et son crâne démesuré. Il vécut
cependant et grandit au soleil comme un beau
plant d'olivier; seulement sa grosse tête l'entraî-
nait toujours, et c'était pitié de le voir se co-
gner à tous les meubles en marchant... Il tombait souvent. Un jour, il roula du haut d'un
perron et vint donner du front contre un degré
de marbre, où son crâne sonna comme un lingot. On le crut mort; mais, en le relevant, on
ne lui trouva qu'une légère blessure, avec deux
ou trois gouttelettes d'or caillées dans ses cheveux blonds. C'est ainsi que les parents
apprirent que l'enfant avait une cervelle en or.

La chose fut tenue secrète; le pauvre petit lui-même ne se douta de rien. De temps en temps, il demandait pourquoi on ne le laissait plus courir devant la porte avec des garçonnets de la rue.

« On vous volerait, mon beau trésor! » lui répondait sa mère...

Alors le petit avait grand-peur d'être volé; il retournait jouer tout seul, sans rien dire, et se trimbalait lourdement d'une salle à l'autre...

A dix-huit ans seulement, ses parents lui révélèrent le don monstrueux qu'il tenait du destin; et, comme ils l'avaient élevé et nourri jusque-là, ils lui demandèrent en retour un peu de son or. L'enfant n'hésita pas; sur l'heure même — comment? par quels moyens? la légende ne l'a pas dit —, il s'arracha du crâne un morceau d'or massif, un morceau gros comme une noix, qu'il jeta fièrement sur les genoux de sa mère... Puis, tout ébloui des richesses qu'il portait dans la tête, fou de désirs, ivre de sa puissance, il quitta la maison paternelle et s'en alla par le monde en gaspillant son trésor.

*

Du train dont il menait sa vie, royalement, et semant l'or sans compter, on aurait dit que sa cervelle était inépuisable... Elle s'épuisait cependant, et à mesure on pouvait voir les yeux s'éteindre, la joue devenir plus creuse. Un jour enfin, au matin d'une débauche folle, le malheureux, resté seul parmi les débris du festin et les lustres qui pâlissaient, s'épouvanta de l'énorme brèche qu'il avait déjà faite à son lingot : il était temps de s'arrêter.

Dès lors, ce fut une existence nouvelle. L'homme à la cervelle d'or s'en alla vivre à l'écart, du travail de ses mains, soupçonneux et craintif comme un avare, fuyant les tentations, tâchant d'oublier lui-même ces fatales richesses auxquelles il ne voulait plus toucher... Par malheur, un ami l'avait suivi dans sa solitude, et cet ami connaissait son secret.

Une nuit, le pauvre homme fut réveillé en sursaut par une douleur à la tête, une effroyable douleur; il se dressa éperdu, et vit, dans un rayon de lune, l'ami qui fuyait en cachant quelque chose sous son manteau...

Encore un peu de cervelle qu'on lui emportait!...

A quelque temps de là, l'homme à la cervelle d'or devint amoureux, et cette fois tout fut fini... Il aimait du meilleur de son âme une petite femme blonde, qui l'aimait bien aussi, mais qui préférait encore les pompons, les plumes blanches et les jolis glands mordorés battant le long des bottines.

Entre les mains de cette mignonne créature
— moitié oiseau, moitié poupée —, les piécettes
d'or fondaient que c'était un plaisir. Elle avait
tous les caprices; et lui ne savait jamais dire
non; même, de peur de la peiner, il lui cacha
jusqu'au bout le triste secret de sa fortune.

« Nous sommes donc bien riches? » disait-elle.

Le pauvre homme répondait :

« Oh! oui... bien riches! »

Et il souriait avec amour au petit oiseau bleu
qui lui mangeait le crâne innocemment Quelquefois cependant la peur le prenait, il avait
des envies d'être avare; mais alors la petite
femme venait vers lui en sautillant, et lui disait :

« Mon mari, qui êtes si riche! achetez-moi
quelque chose de bien cher... »

Et il lui achetait quelque chose de bien cher.

Cela dura ainsi pendant deux ans; puis, un
matin, la petite femme mourut, sans qu'on sût
pourquoi, comme un oiseau... Le trésor touchait
à sa fin; avec ce qui lui en restait, le veuf fit
faire à sa chère morte un bel enterrement.
Cloches à toute volée, lourds carrosses tendus de
noir, chevaux empanachés, larmes d'argent dans
le velours, rien ne lui parut trop beau. Que lui
importait son or maintenant?... Il en donna
pour l'église, pour les porteurs, pour les reven-
deuses d'immortelles : il en donna partout.

Aussi, en sortant du cimetière, il ne lui res-

tait presque plus rien de cette cervelle merveilleuse, à peine quelques parcelles aux parois du
crâne.

Alors on le vit s'en aller dans les rues, l'air
égaré, les mains en avant, trébuchant comme un
homme ivre. Le soir, à l'heure où les bazards
s'illuminent, il s'arrêta devant une large vitrine
dans laquelle tout un fouillis d'étoffes et de pa-
rures reluisait aux lumières, et resta là longtemps à regarder deux bottines de satin bleu
bordées de duvet de cygne. « Je sais quelqu'un
à qui ces bottines feraient bien plaisir », se disait-il en souriant; et, ne se souvenant déjà plus
que la petite femme était morte, il entra pour les
acheter.

Du fond de son arrière-boutique, la mar-
chande entendit un grand cri; elle accourut et
recula de peur en voyant un homme debout, qui
s'accotait au comptoir et la regardait douloureu-
sement d'un air hébété. Il tenait d'une main
les bottines bleues à bordure de cygne, et présentait l'autre main toute sanglante, avec des
raclures d'or au bout des ongles.

Telle est, madame, la légende de l'homme à
la cervelle d'or.

*

Malgré ses airs de conte fantastique, cette
légende est vraie d'un bout à l'autre... Il y a

par le monde de pauvres gens qui sont condamnés à vivre de leur cerveau, et paient en bel or
fin, avec leur moelle et leur substance, les moindres choses de la vie. C'est pour eux une douleur
de chaque jour; et puis, quand ils sont las de
souffrir...

LE POÈTE MISTRAL

DIMANCHE dernier, en me levant, j'ai cru me réveiller rue du Faubourg-Montmartre. Il pleuvait, le ciel était gris, le moulin triste. J'ai eu peur de passer chez moi cette froide journée de pluie, et tout de suite l'envie m'est venue d'aller me réchauffer un brin auprès de Frédéric Mistral, ce grand poète qui vit à trois lieues de mes pins, dans son petit village de Maillane.

Sitôt pensé, sitôt parti; une trique en bois de myrte, mon Montaigne, une couverture, et en route!

Personne aux champs... Notre belle Provence catholique laisse la terre se reposer le dimanche... Les chiens seuls au logis, les fermes closes... De loin en loin, une charrette de roulier avec sa bâche ruisselante, une vieille encapuchonnée dans sa mante feuille morte, des mules en tenue de gala, housse de sparterie bleue et blanche, pompon rouge, grelots d'argent — emportant au petit trot toute une carriole de gens de *mas* qui vont à la messe; puis, là-bas, à travers la brume, une barque sur la *roubine* et un pêcheur debout qui lance son épervier...

Pas moyen de lire en route ce jour-là. La pluie tombait par torrents, et la tramontane vous la jetait à pleins seaux dans la figure... Je fis le chemin tout d'une haleine, et enfin, après trois heures de marche, j'aperçus devant moi les petits bois de cyprès au milieu desquels le pays de Maillane s'abrite de peur du vent.

Pas un chat dans les rues du village; tout le monde était à la grand-messe. Quand je passai devant l'église, le serpent ronflait, et je vis les cierges reluire à travers les vitres de couleur.

Le logis du poète est à l'extrémité du pays; c'est la dernière maison à main gauche, sur la route de Saint-Rémy —, une maisonnette à un étage avec un jardin devant... J'entre doucement... Personne! La porte du salon est fermée, mais j'entends derrière quelqu'un qui marche et qui parle à haute voix... Ce pas et cette voix me sont bien connus... Je m'arrête un moment dans le petit couloir peint à la chaux, la main sur le bouton de la porte, très ému. Le cœur me bat. — Il est là. Il travaille... Faut-il attendre que la strophe soit finie?... Ma foi! tant pis, entrons.

*

Ah! Parisiens, lorsque le poète de Maillane
est venu chez vous montrer Paris à sa Mireille,
et que vous l'avez vu dans vos salons, ce Chaotas
en habit de ville, avec un col droit et un grand
chapeau qui le gênait autant que sa gloire, vous
avez cru que c'était là Mistral... Non, ce n'était
pas lui. Il n'y a qu'un Mistral au monde, celui
que j'ai surpris dimanche dernier dans son village, le chaperon de feutre sur l'oreille, sans gi-
let, en jaquette, sa rouge taillole catalane autour
des reins, l'œil allumé, le feu de l'inspiration
aux pommettes, superbe, avec un bon sourire,
élégant comme un pâtre grec, et marchant à
grands pas, les mains dans ses poches, en faisant
des vers...

Comment! c'est toi! cria Mistral en me sautant au cou; la bonne idée que tu as eue de
venir!... Tout juste aujourd'hui, c'est la fête de
Maillane. Nous avons la musique d'Avignon, les
taureaux, la procession, la farandole, ce sera magnifique... La mère va rentrer de la messe; nous
déjeunons, et puis, zou! nous allons voir danser
les jolies filles... »

Pendant qu'il me parlait, je regardais avec
émotion ce petit salon à tapisserie claire, que je
n'avais pas vu depuis si longtemps, et où j'ai

passé déjà de si belles heures. Rien n'était changé. Toujours le canapé à carreaux jaunes, les deux fauteuils de paille, la Vénus sans bras et la Vénus d'Arles sur la cheminée, le portrait du poète par Hébert, sa photographie par Étienne Carjat, et, dans un coin, près de la fenêtre, le bureau —, un pauvre petit bureau de receveur d'enregistrement —, tout chargé de vieux bouquins et de dictionnaires. Au milieu de ce bureau, j'aperçus un gros cahier ouvert... C'était *Calendal,* le nouveau poème de Frédéric Mistral, qui doit paraître à la fin de cette année, le jour de Noël. Ce poème, Mistral y travaille depuis sept ans, et voilà près de six mois qu'il en a écrit le dernier vers; pourtant, il n'ose s'en séparer encore. Vous comprenez, on a toujours une strophe à polir, une rime plus sonore à trouver... Mistral a beau écrire en provençal, il travaille ses vers comme si tout le monde devait les lire dans la langue et lui tenir compte de ses efforts de bon ouvrier... Oh! le brave poète, et que c'est bien Mistral dont Montaigne aurait pu dire : *Souvienne-vous de celuy à qui, comme on demandoit à quoy faire il se peinoit si fort en un art qui ne pouvoit venir à la cognoissance de guère des gens. « J'en ay assez de peu, répondit-il. J'en ay assez d'un. J'en ay assez de pas un. »*

•

Je tenais le cahier de *Calendal* entre mes mains, et je feuilletais, plein d'émotion... Tout à coup une musique de fifres et de tambourins éclate dans la rue, devant la fenêtre, et voilà mon Mistral qui court à l'armoire, en tire des verres, des bouteilles, traîne la table au milieu du salon, et ouvre la porte aux musiciens en me disant :

« Ne ris pas... Ils viennent me donner l'aubade... je suis conseiller municipal. »

La petite pièce se remplit de monde. On pose les tambourins sur les chaises, la vieille bannière dans un coin; et le vin cuit circule. Puis quand on a vidé quelques bouteilles à la santé de Frédéric, qu'on a causé gravement de la fête, si la farandole sera aussi belle que l'an dernier, si les taureaux se comporteront bien, les musiciens se retirent et vont donner l'aubade chez les autres conseillers. A ce moment, la mère de Mistral arrive.

En un tour de main la table est dressée : un beau linge blanc et deux couverts. Je connais les usages de la maison; je sais que lorsque Mistral a du monde, sa mère ne se met pas à table... La pauvre vieille femme ne connaît que son provençal et se sentirait mal à l'aise pour causer

avec des Français... D'ailleurs, on a besoin d'elle
à la cuisine.

Dieu! le joli repas que j'ai fait ce matin-là : —
un morceau de chevreau rôti, du fromage de
montagne, de la confiture de moût, des figues,
des raisins muscats. Le tout arrosé de ce bon
châteauneuf des papes qui a une si belle couleur
rose dans les verres...

Au dessert, je vais chercher le cahier du
poème, et je l'apporte sur la table devant Mistral.

« Nous avions dit que nous sortirions, fait le
poète en souriant.

— Non! non!... *Calendal! Calendal!* »

Mistral se résigne, et de sa voix musicale et
douce, en battant la mesure de ses vers avec la
main, il entame le premier chant : — *D'une
fille folle d'amour* —, *à présent que j'ai dit la
triste aventure* —, *je chanterai, si Dieu veut, un
enfant de Cassis* —, *un pauvre petit pêcheur
d'anchois...*

Au-dehors, les cloches sonnaient les vêpres, les
pétards éclataient sur la place, les fifres passaient
et repassaient dans les rues avec les tambourins.
Les taureaux de Camargue, qu'on menait courir, mugissaient.

Moi, les coudes sur la nappe, des larmes dans
les yeux, j'écoutais l'histoire du petit pêcheur
provençal.

*

Calendal n'était qu'un pêcheur; l'amour en
fait un héros... Pour gagner le cœur de sa mie
— la belle Estérelle —, il entreprend des choses
miraculeuses, et les douze travaux d'Hercule ne
sont rien à côté des siens.

Une fois, s'étant mis en tête d'être riche, il a
inventé de formidables engins de pêche, et ra-
mène au port tout le poisson de la mer. Une
autre fois, c'est un terrible bandit des gorges
d'Ollioules, le comte Sévéran, qu'il va relancer
jusque dans son aire, parmi ses coupe-jarrets et
ses concubines... Quel rude gars que ce petit
Calendal! Un jour, à la Sainte-Baume, il rencontre deux partis de compagnons venus là pour
vider leur querelle à grands coups de compas
sur la tombe de maître Jacques, un Provençal
qui a fait la charpente du temple de Salomon,
s'il vous plaît. Calendal se jette au milieu de la
tuerie, et apaise les compagnons en leur parlant...

Des entreprises surhumaines!... Il y avait là-
haut, dans les rochers de Lure, une forêt de
cèdres inaccessibles, où jamais bûcheron n'osa
monter. Calendal y va, lui. Il s'y installe tout
seul pendant trente jours. Pendant trente jours,
en entend le bruit de sa hache qui sonne en

s'enfonçant dans les troncs. La forêt crie; l'un après l'autre, les vieux arbres géants tombent et roulent au fond des abîmes, et quand Calendal redescend, il ne reste plus un cèdre sur la montagne...

Enfin, en récompense de tant d'exploits, le pêcheur d'anchois obtient l'amour d'Estérelle, et il est nommé consul par les habitants de Cassis. Voilà l'histoire de Calendal... Mais qu'importe Calendal? Ce qu'il y a avant tout dans le poème, c'est la Provence — la Provence de la mer, la Provence de la montagne —, avec son histoire, ses mœurs, ses légendes, ses paysages, tout un peuple naïf et libre qui a trouvé son grand poète avant de mourir... Et maintenant, tracez des chemins de fer, plantez des poteaux à télégraphe, chassez la langue provençale des écoles! La Provence vivra éternellement dans *Mireille* et dans *Calendal*.

« Assez de poésie! dit Mistral en fermant son cahier. Il faut aller voir la fête. »

Nous sortîmes; tout le village était dans les rues; un grand coup de bise avait balayé le ciel, et le ciel reluisait joyeusement sur les toits rouges mouillés de pluie. Nous arrivâmes à temps pour voir rentrer la procession... Ce fut

pendant une heure un interminable défilé de
pénitents en cagoule, pénitents blancs, pénitents
bleus, pénitents gris, confréries de filles voilées,
bannières roses à fleurs d'or, grands saints de
bois dédorés portés à quatre épaules, saintes de
faïence coloriées comme des idoles avec de gros
bouquets à la main, chapes, ostensoirs, dais de
velours vert, crucifix encadrés de soie blanche,
tout cela ondulant au vent dans la lumière des
cierges et du soleil, au milieu des psaumes, des
litanies, et des cloches qui sonnaient à toute
volée.

La procession finie, les saints remisés dans
leurs chapelles, nous allâmes voir les taureaux,
puis les jeux sur l'aire, les luttes d'hommes, les
trois sauts, l'étrangle-chat, le jeu de l'outre, et
tout le joli train des fêtes de Provence... La nuit
tombait quand nous rentrâmes à Maillane. Sur
la place, devant le petit café où Mistral va faire,
le soir, sa partie avec son ami Zidore, on avait
allumé un grand feu de joie... La farandole s'or-
ganisait. Des lanternes de papier découpé s'allumaient partout dans l'ombre; la jeunesse prenait
place; et bientôt, sur un appel de tambourins,
commença autour de la flamme une ronde folle,
bruyante, qui devait durer toute la nuit.

*

Après souper, trop las pour courir encore, nous montâmes dans la chambre de Mistral. C'est une modeste chambre de paysan, avec deux grands lits. Les murs n'ont pas de papier; les solives du plafond se voient... Il y a quatre ans, lorsque l'Académie donna à l'auteur de *Mireille* le prix de trois mille francs, Mme Mistral eut une idée.

« Si nous faisions tapisser et plafonner ta chambre? dit-elle à son fils.

— Non! non! répondit Mistral... Ça, c'est l'argent des poètes, on n'y touche pas. »

Et la chambre est restée toute nue; mais tant que l'argent des poètes a duré, ceux qui ont frappé chez Mistral ont toujours trouvé sa bourse ouverte...

J'avais emporté le cahier de *Calendal* dans la chambre et je voulus m'en faire lire encore un passage avant de m'endormir. Mistral choisit l'épisode des faïences. Le voici en quelques mots :

C'est dans un grand repas je ne sais où. On apporte sur la table un magnifique service en faïence de Moustiers. Au fond de chaque assiette, dessiné en bleu dans l'émail, il y a un sujet provençal; toute l'histoire du pays tient là-dedans. Aussi il faut voir avec quel amour sont décrites ces belles faïences; une strophe pour chaque assiette, autant de petits poèmes d'un travail naïf et savant, achevés comme un tableautin de Théocrite.

Tandis que Mistral me disait ses vers dans cette belle langue provençale, plus qu'aux trois quarts latine, que les reines ont parlée autrefois et que maintenant nos pâtres seuls comprennent, j'admirais cet homme au-dedans de moi, et, songeant à l'état de ruine où il a trouvé sa langue maternelle et ce qu'il en a fait, je me figurais un de ces vieux palais des princes des Baux comme on en voit dans les Alpilles : plus de toits, plus de balustres aux perrons, plus de vitraux aux fenêtres, le trèfle des ogives cassé, le blason des portes mangé de mousse, des poules picorant dans la cour d'honneur, des porcs vautrés sous les fines colonnettes des galeries, l'âne broutant dans la chapelle où l'herbe pousse, des pigeons venant boire aux grands bénitiers remplis d'eau de pluie, et enfin, parmi ces décombres, deux ou trois familles de paysans qui se sont bâti des huttes dans les flancs du vieux palais.

Puis, voilà qu'un beau jour le fils d'un de ces paysans s'éprend de ces grandes ruines et s'indigne de les voir ainsi profanées; vite, vite, il chasse le bétail hors de la cour d'honneur; et,

les fées lui venant en aide, à lui tout seul il re-
construit le grand escalier, remet des boiseries
aux murs, des vitraux aux fenêtres, relève les
tours, redore la salle du trône; et met sur pied
le vaste palais d'autre temps, où logèrent des
papes et des impératrices.

Ce palais restauré, c'est la langue provençale.
Ce fils de paysan, c'est Mistral.

LES TROIS MESSES BASSES

CONTE DE NOËL

I

« DEUX dindes truffées, Garrigou?...

— Oui, mon révérend, deux dindes magnifiques bourrées de truffes. J'en sais quelque
chose, puisque c'est moi qui ai aidé à les rem-
plir. On aurait dit que leur peau allait craquer
en rôtissant, tellement elle était tendue...

— Jésus-Maria! moi qui aime tant les
truffes!... Donne-moi vite mon surplis, Garrigou... Et avec les dindes, qu'est-ce que tu as encore aperçu à la cuisine?...

— Oh! toutes sortes de bonnes choses... Depuis midi nous n'avons fait que plumer des
faisans, des huppes, des gélinottes, des coqs de
bruyère. La plume en volait partout... Puis de
l'étang on a apporté des anguilles, des carpes
dorées, des truites, des...

— Grosses comment, les truites, Garrigou?

— Grosses comme ça, mon révérend...
Enormes!...

— Oh! Dieu! il me semble que je les vois...
As-tu mis le vin dans les burettes?

— Oui, mon révérend, j'ai mis le vin dans les
burettes... Mais dame! il ne vaut pas celui que
vous boirez tout à l'heure en sortant de la messe
de minuit. Si vous voyiez cela dans la salle à
manger du château, toutes les carafes qui
flambent pleines de vins de toutes les couleurs...
Et la vaisselle d'argent, les surtouts ciselés, les
fleurs, les candélabres!... Jamais il ne se sera vu
un réveillon pareil. Monsieur le marquis a in-
vité tous les seigneurs du voisinage. Vous serez
au moins quarante à table, sans compter le bailli
ni le tabellion... Ah! vous êtes bien heureux
d'en être, mon révérend!... Rien que d'avoir
flairé ces belles dindes, l'odeur des truffes me
suit partout... Meuh!...

— Allons, allons, mon enfant. Gardons-nous
du péché de gourmandise, surtout la nuit de la
Nativité... Va bien vite allumer les cierges et
sonner le premier coup de la messe; car voilà
que minuit est proche, et il ne faut pas nous
mettre en retard... »

Cette conversation se tenait une nuit de Noël
de l'an de grâce mil six cent et tant, entre le
révérend dom Balaguère, ancien prieur des

Barnabites, présentement chapelain gagé des
sires de Trinquelage, et son petit clerc Garrigou,
ou du moins ce qu'il croyait être le petit clerc
Garrigou, car vous saurez que le diable, ce soir-
là, avait pris la face ronde et les traits indécis du
jeune sacristain pour mieux induire le révérend
père en tentation et lui faire commettre un
épouvantable péché de gourmandise. Donc, pendant que le soi-disant Garrigou (hum! hum!)
faisait à tour de bras carillonner les cloches de la
chapelle seigneuriale, le révérend achevait de re-
vêtir sa chasuble dans la petite sacristie du château; et, l'esprit déjà troublé par toutes ces des-
criptions gastronomiques, il se répétait à lui-
même en s'habilllant :

« Des dindes rôties... des carpes dorées... des
truites grosses comme ça!... »

Dehors, le vent de la nuit soufflait en éparpil-
lant la musique des cloches, et, à mesure, des
lumières apparaissaient dans l'ombre aux flancs
du mont Ventoux, en haut duquel s'élevaient
les vieilles tours de Trinquelage. C'étaient des
familles de métayers qui venaient entendre la
messe de minuit au château. Ils grimpaient la
côte en chantant par groupes de cinq ou six, le
père en avant, la lanterne en main, les femmes
enveloppées dans leurs grandes mantes brunes
où les enfants se serraient et s'abritaient. Malgré
l'heure et le froid, tout ce brave peuple mar-

chait allégrement, soutenu par l'idée qu'au sortir de la messe il y aurait, comme tous les ans,
table mise pour eux en bas dans les cuisines. De
temps en temps, sur la rude montée, le carrosse
d'un seigneur, précédé de porteurs de torches,
faisait miroiter ses glaces au clair de lune, ou
bien ume mule trottait en agitant ses sonnailles,
et à la lueur des falots enveloppés de brume, les
métayers reconnaissaient leur bailli et le sa-
luaient au passage :

« Bonsoir, bonsoir, maître Arnoton!

— Bonsoir, bonsoir, mes enfants! »

La nuit était claire, les étoiles avivées de
froid; la bise piquait, et un fin grésil, glissant
sur les vêtements sans les mouiller, gardait fidè-
lement la tradition des Noëls blancs de neige.
Tout en haut de la côte, le château apparaissait
comme le but, avec sa masse énorme de tours,
de pignons, le clocher de sa chapelle montant
dans le ciel bleu noir, et une foule de petites lumières qui clignotaient, allaient, venaient, s'agitaient à toutes les fenêtres, et ressemblaient, sur
le fond sombre du bâtiment, aux étincelles courant dans des cendres de papier brûlé... Passé le
pont-levis et la poterne, il fallait, pour se rendre
à la chapelle, traverser la première cour, pleine
de carrosses, de valets, de chaises à porteurs,
toute claire du feu des torches et de la flambée
des cuisines. On entendait le tintement des tour-

nebroches, le fracas des casseroles, le choc des
cristaux et de l'argenterie remués dans les
apprêts d'un repas; par là-dessus, une vapeur
tiède, qui sentait bon les chairs rôties et les
herbes fortes des sauces compliquées, faisait dire
aux métayers, comme au chapelain, comme au
bailli, comme à tout le monde :

« Quel bon réveillon nous allons faire après
la messe!

II

Drelindin din!... Drelindin din!...

C'est la messe de minuit qui commence. Dans
la chapelle du château, une cathédrale en mi-
niature, aux arceaux entrecroisés, aux boiseries
de chêne, montant jusqu'à hauteur des murs, les
tapisseries ont été tendues, tous les cierges allumés. Et que de monde! Et que de toilettes! Voici
d'abord, assis dans les stalles sculptées qui en-
tourent le chœur, le sire de Trinquelage, en
habit de taffetas saumon, et près de lui tous les
nobles seigneurs invités. En face, sur des prie-
Dieu garnis de velours, ont pris place la vieille
marquise douairière dans sa robe de brocart couleur de feu et la jeune dame de Trinquelage,
coiffée d'une haute tour de dentelle gaufrée à la
dernière mode de la cour de France. Plus bas on

voit, vêtus de noir avec de vastes perruques en
pointe et des visages rasés, le bailli Thomas Arnoton et le tabellion maître Ambroy, deux notes
graves parmi les soies voyantes et les damas bro-
chés. Puis viennent les gras majordomes, les
pages, les piqueurs, les intendants, dame Barbe,
toutes ses clefs pendues sur le côté à un clavier
d'argent fin. Au fond, sur les bancs, c'est le bas
office, les servantes, les métayers avec leurs familles; et enfin, là-bas, tout contre la porte qu'ils
entrouvrent et referment discrètement, messieurs les marmitons qui viennent entre deux
sauces prendre un petit air de messe et apporter
une odeur de réveillon dans l'église toute en
fête et tiède de tant de cierges allumés.

Est-ce la vue de ces petites barrettes blanches
qui donne des distractions à l'officiant? Ne serait-ce pas plutôt la sonnette de Garrigou, cette
enragée petite sonnette qui s'agite au pied de
l'autel avec une précipitation infernale et semble
dire tout le temps :

« Dépêchons-nous, dépêchons-nous... Plus tôt
nous aurons fini, plus tôt nous serons à table. »

Le fait est que chaque fois qu'elle tinte, cette
sonnette du diable, le chapelain oublie sa messe
et ne pense plus qu'au réveillon. Il se figure les
cuisiniers en rumeur, les fourneaux où brûle
un feu de forge, la buée qui monte des couver-
cles entrouverts, et dans cette buée deux dindes

magnifiques, bourrées, tendues, marbrées de truffes...

Ou bien encore il voit passer des files de pages portant des plats enveloppés de vapeurs tentantes, et avec eux il entre dans la grande salle déjà prête pour le festin. O délices! voilà l'immense table toute chargée et flamboyante, les paons habillés de leurs plumes, les faisans écartant leurs ailes mordorées, les flacons couleur de rubis, les pyramides de fruits éclatants parmi les branches vertes, et ces merveilleux poissons dont parlait Garrigou (ah! bien oui, Garrigou!) étalés sur un lit de fenouil, l'écaille nacrée comme s'ils sortaient de l'eau, avec un bouquet d'herbes odorantes dans leurs narines de monstres. Si vive est la vision de ces merveilles, qu'il semble à dom Balaguère que tous ces plats mirifiques sont servis devant lui sur les broderies de la nappe d'autel, et deux ou trois fois, au lieu de *Dominus vobiscum!* il se surprend à dire le *Benedicite.* A part ces légères méprises, le digne homme débite son office très consciencieusement, sans passer une ligne, sans omettre une génuflexion; et tout marche assez bien jusqu'à la fin de la première messe; car vous savez que le jour de Noël le même officiant doit célébrer trois messes consécutives.

« Et d'une! » se dit le chapelain avec un soupir de soulagement; puis, sans perdre une minute, il fait signe à son clerc ou celui qu'il croit être son clerc, et...

Drelindin din!... Drelindin din!

C'est la seconde messe qui commence, et avec elle commence aussi le péché de dom Balaguère.

« Vite, vite, dépêchons-nous », lui crie de sa petite voix aigrelette la sonnette de Garrigou, et cette fois le malheureux officiant, tout abandonné au démon de gourmandise, se rue sur le missel et dévore les pages avec l'avidité de son appétit en surexcitation. Frénétiquement il se baisse, se relève, esquisse les signes de croix, les génuflexions, raccourcit tous ses gestes pour avoir plus tôt fini. A peine s'il étend ses bras à l'Evangile, s'il frappe sa poitrine au *Confiteor*. Entre le clerc et lui c'est à qui bredouillera le plus vite. Versets et répons se précipitent, se bousculent. Les mots à moitié prononcés, sans ouvrir la bouche, ce qui prendrait trop de temps, s'achèvent en murmures incompréhensibles.

Oremus ps... ps... ps...

Mea culpa... pa... pa...

Pareils à des vendangeurs pressés foulant le raisin de la cuve, tous deux barbotent dans le latin de la messe, en envoyant des éclaboussures de tous les côtés.

Dom... scum!... dit Balaguère.

... Stutuo!... répond Garrigou; et tout le temps

la damnée petite sonnette est là qui tinte à leurs oreilles, comme ces grelots qu'on met aux chevaux de poste pour les faire galoper à la grande vitesse. Pensez que de ce train-là une messe basse est vite expédiée.

« Et de deux! » dit le chapelain tout essoufflé; puis, sans prendre le temps de respirer, rouge, suant, il dégringole les marches de l'autel et...

Drelindin din!... Drelindin din!...

C'est la troisième messe qui commence. Il n'y a plus que quelques pas à faire pour arriver à la salle à manger ; mais, hélas! à mesure que le réveillon approche, l'infortuné Balaguère se sent pris d'une folie d'impatience et de gourmandise. Sa vision s'accentue, les carpes dorées, les dindes rôties sont là, là... Il les touche... il les... Oh! Dieu!... Les plats fument, les vins embaument : et, secouant son grelot enragé, la petite sonnette lui crie :

« Vite, vite, encore plus vite!... »

Mais comment pourrait-il aller plus vite? Ses lèvres remuent à peine. Il ne prononce plus les mots... A moins de tricher tout à fait le bon Dieu et de lui escamoter sa messe... Et c'est ce qu'il fait, le malheureux!... De tentation en tentation, il commence par sauter un verset, puis deux. Puis l'épître est trop longue, il ne la finit pas, effleure l'Evangile, passe devant le *Credo* sans entrer, saute le *Pater*, salue de loin la pré-

face, et par bonds et par élans se précipite ainsi
dans la damnation éternelle, toujours suivi de
l'infâme Garrigou (*vade retro, Satanas!*), qui le
seconde avec une merveilleuse entente, lui relève sa chasuble, tourne les feuillets deux par
deux, bouscule les pupitres, renverse les burettes, et sans cesse secoue la petite sonnette de
plus en plus fort, de plus en plus vite.

Il faut voir la figure effarée que font tous les
assistants! Obligés de suivre à la mimique du
prêtre cette messe dont ils n'entendent pas un
mot, les uns se lèvent quand les autres s'age-
nouillent, s'asseyent quand les autres sont debout; et toutes les phases de ce singulier office
se confondent sur les bancs dans une foule d'at-
titudes diverses. L'étoile de Noël en route dans
les chemins du ciel, là-bas, vers la petite étable,
pâlit d'épouvante en voyant cette confusion...

« L'abbé va trop vite... On ne peut pas
suivre », murmure la vieille douairière en agitant sa coiffe avec égarement.

Maître Arnoton, ses grandes lunettes d'acier
sur le nez, cherche dans son paroissien où diantre
on peut bien en être. Mais au fond, tous ces
braves gens, qui eux aussi pensent à réveillonner,
ne sont pas fâchés que la messe aille ce train de
poste; et quand dom Balaguère, la figure rayonnante, se tourne vers l'assistance en criant de
toutes ses forces : *Ite, missa est,* il n'y a qu'une

voix dans la chapelle pour lui répondre un *Deo
gratias* si joyeux, si entraînant, qu'on se croirait
déjà à table au premier toast du réveillon.

III

Cinq minutes après, la foule des seigneurs s'as-
seyait dans la grande salle, le chapelain au milieu
d'eux. Le château, illuminé de haut en bas,
retentissait de chants, de cris, de rires, de ru-
meurs; et le vénérable dom Balaguère plantait
sa fourchette dans une aile de gelinotte, noyant
le remords de son péché sous des flots de vin du
pape et de bon jus de viandes. Tant il but et
mangea, le pauvre saint homme, qu'il mourut
dans la nuit d'une terrible attaque, sans avoir
eu seulement le temps de se repentir; puis, au
matin, il arriva dans le ciel encore tout en rumeur des fêtes de la nuit, et je vous laisse à penser comme il y fut reçu.

« Retire-toi de mes yeux, mauvais chrétien!
lui dit le souverain Juge, notre maître à tous.
Ta faute est assez grande pour effacer toute une
vie de vertu... Ah! tu m'as volé une messe de
nuit... Eh bien, tu m'en paieras trois cents en
place, et tu n'entreras en paradis que quand tu

auras célébré dans ta propre chapelle ces trois
cents messes de Noël en présence de tous ceux
qui ont péché par ta faute et avec toi... »

... Et voilà la vraie légende de dom Balaguère
comme on la raconte au pays des olives. Aujour-
d'hui, le château de Trinquelage n'existe plus,
mais la chapelle se tient encore droite tout en
haut du mont Ventoux, dans un bouquet de
chênes verts. Le vent fait battre sa porte dis-
jointe, l'herbe encombre le seuil; il y a des nids
aux angles de l'autel et dans l'embrasure des
hautes croisées dont les vitraux coloriés ont dis-
paru depuis longtemps. Cependant il paraît que
tous les ans, à Noël, une lumière surnaturelle
erre parmi ces ruines, et qu'en allant aux messes
et aux réveillons, les paysans aperçoivent ce
spectre de chapelle, éclairé de cierges invisibles
qui brûlent au grand air, même sous la neige et
le vent. Vous en rirez si vous voulez, mais un
vigneron de l'endroit, nommé Garrigue, sans
doute un descendant de Garrigou, m'a affirmé
qu'un soir de Noël, se trouvant un peu en ri-
bote, il s'était perdu dans la montagne du côté
de Trinquelage; et voici ce qu'il avait vu...
Jusqu'à onze heures, rien. Tout était silencieux,
éteint, inanimé. Soudain, vers minuit, un carillon sonna tout en haut du clocher, un vieux,
vieux carillon qui avait l'air d'être à dix lieues.
Bientôt, dans le chemin qui monte, Garrigue

vit trembler des feux, s'agiter des ombres indécises. Sous le porche de la chapelle, on marchait,
on chuchotait :

« Bonsoir, maître Arnoton!

— Bonsoir, bonsoir, mes enfants!... »

Quand tout le monde fut entré, mon vigneron, qui était très brave, s'approcha doucement
et, regardant par la porte cassée, eut un singulier spectacle. Tous ces gens qu'il avait vus passer s'étaient rangés autour du chœur, dans la
nef en ruine, comme si les anciens bancs exis-
taient encore. De belles dames en brocart avec
des coiffes de dentelle, des seigneurs chamarrés
du haut en bas, des paysans en jaquettes fleuries
ainsi qu'en avaient nos grands-pères, tous l'air
vieux, fané, poussiéreux, fatigué. De temps en
temps, des oiseaux de nuit, hôtes habituels de
la chapelle, réveillés par toutes ces lumières,
venaient rôder autour des cierges dont la flamme
montait droite et vague comme si elle avait brûlé
derrière une gaze; et ce qui amusait beaucoup
Garrigue, c'était un certain personnage à grandes
lunettes d'acier, qui secouait à chaque instant
sa haute perruque noire sur laquelle un de ces
oiseaux se tenait droit tout empêtré en battant
silencieusement des ailes...

Dans le fond, un petit vieillard de taille enfantine, à genoux au milieu du chœur, agitait
désespérément une sonnette sans grelot et sans

voix, pendant qu'un prêtre, habillé de vieil or, allait, venait devant l'autel, en récitant des oraisons dont on n'entendait pas un mot... Bien sûr c'était dom Balaguère, en train de dire sa troisième messe basse.

LES ORANGES

FANTAISIE

A PARIS, les oranges ont l'air triste de fruits tombés ramassés sous l'arbre. A l'heure où elles vous arrivent, en plein hiver pluvieux et froid, leur écorce éclatante, leur parfum exagéré dans ces pays de saveurs tranquilles, leur donnent un aspect étrange, un peu bohémien. Par les soirées brumeuses, elles longent tristement les trottoirs, entassées dans leurs petites charrettes ambulantes, à la lueur sourde d'une lanterne en papier rouge. Un cri monotone et grêle les escorte, perdu dans le roulement des voitures, le fracas des omnibus :

« A deux sous la Valence! »

Pour les trois quarts des Parisiens, ce fruit cueilli au loin, banal dans sa rondeur, où l'arbre n'a rien laissé qu'une mince attache verte, tient de la sucrerie, de la confiserie. Le papier de soie qui l'entoure, les fêtes qu'il accompagne, contribuent à cette impression. Aux approches de janvier surtout, les milliers d'oranges disséminées par les rues, toutes ces écorces traînant dans la boue du ruisseau, font songer à quelque arbre de Noël gigantesque qui secouerait sur Paris ses branches chargées de fruits factices. Pas un coin où on ne les rencontre. A la vitrine claire des étalages, choisies et parées; à la porte des prisons et des hospices, parmi les paquets de biscuits, les tas de pommes; devant l'entrée des bals, des spectacles du dimanche. Et leur parfum exquis se mêle à l'odeur du gaz, au bruit des crincrins, à la poussière des banquettes du paradis. On en vient à oublier qu'il faut des orangers pour produire des oranges, car pendant que le fruit nous arrive directement du Midi à pleines caisses, l'arbre, taillé, transformé, déguisé, de la serre chaude où il passe l'hiver, ne fait qu'une courte apparition au plein air des jardins publics.

Pour bien connaître les oranges, il faut les avoir vues chez elles, aux îles Baléares, en Sardaigne, en Corse, en Algérie, dans l'air bleu doré, l'atmosphère tiède de la Méditerranée. Je me rappelle un petit bois d'orangers, aux portes de Blidah; c'est là qu'elles étaient belles! Dans le feuillage sombre, lustré, vernissé, les fruits avaient l'éclat de verres de couleur, et doraient l'air environnant avec cette auréole de splendeur qui entoure les fleurs éclatantes. Çà et là des éclaircies laissaient voir à travers les branches les remparts de la petite ville, le minaret d'une mosquée, le dôme d'un marabout, et au-dessus l'énorme masse de l'Atlas, verte à sa base, couronnée de neige comme d'une fourrure blanche, avec des moutonnements, un flou de flocons tombés.

Une nuit, pendant que j'étais là, je ne sais par quel phénomène ignoré depuis trente ans, cette zone de frimas et d'hiver se secoua sur la ville endormie, et Blidah se réveilla transformée, poudrée à blanc. Dans cet air algérien si léger, si pur, la neige semblait une poussière de nacre. Elle avait des reflets de plumes de paon blanc. Le plus beau, c'était le bois d'orangers. Les feuilles solides gardaient la neige intacte et droite comme des sorbets sur des plateaux de laque, et tous les fruits poudrés à frimas avaient une douceur splendide, un rayonnement discret comme de l'or voilé de claires étoffes blanches. Cela donnait vaguement l'impression d'une fête d'église, de soutanes rouges sous des robes de dentelles, de dorures d'autel enveloppées de guipures...

Mais mon meilleur souvenir d'oranges me vient encore de Barbicaglia, un grand jardin auprès d'Ajaccio où j'allais faire la sieste aux

heures de chaleur. Ici les orangers, plus hauts,
plus espacés qu'à Blidah, descendaient jusqu'à
la route, dont le jardin n'était séparé que par
une haie vive et un fossé. Tout de suite après,
c'était la mer, l'immense mer bleue... Quelles
bonnes heures j'ai passées dans ce jardin! Au-
dessus de ma tête, les orangers en fleur et en
fruit brûlaient leurs parfums d'essences. De
temps en temps, une orange mûre, détachée tout
à coup, tombait près de moi comme alourdie de
chaleur, avec un bruit mat, sans écho, sur la terre
pleine. Je n'avais qu'à allonger la main. C'étaient
des fruits superbes, d'un rouge pourpre à l'intérieur. Ils me paraissaient exquis, et puis l'horizon était si beau! Entre les feuilles, la mer
mettait des espaces bleus éblouissants comme
des morceaux de verre brisé qui miroitaient dans
la brume de l'air. Avec cela le mouvement du
flot agitant l'atmosphère à de grandes distances,
ce murmure cadencé qui vous berce comme dans
une barque invisible, la chaleur, l'odeur des
oranges... Ah! qu'on était bien pour dormir dans
le jardin de Barbicaglia!

Quelquefois cependant, au meilleur moment
de la sieste, des éclats de tambour me réveil-
laient en sursaut. C'étaient de malheureux tapins
qui venaient s'exercer en bas, sur la route. A
travers les trous de la haie, j'apercevais le cuivre
des tambours et les grands tabliers blancs sur

les pantalons rouges. Pour s'abriter un peu de la
lumière aveuglante que la poussière de la route
leur renvoyait impitoyablement, les pauvres
diables venaient se mettre au pied du jardin,
dans l'ombre courte de la haie. Et ils tapaient!
et ils avaient chaud! Alors, m'arrachant de force
à mon hypnotisme, je m'amusais à leur jeter
quelques-uns de ces beaux fruits d'or rouge qui
pendaient près de ma main. Le tambour visé
s'arrêtait. Il y avait une minute d'hésitation, un
regard circulaire pour voir d'où venait la superbe
orange roulant devant lui dans le fossé; puis il
la ramassait bien vite et mordait à pleines dents
sans même enlever l'écorce.

Je me souviens aussi que tout à côté de Barbicaglia, et séparé seulement par un petit mur
bas, il y avait un jardinet assez bizarre que je
dominais de la hauteur où je me trouvais.
C'était un petit coin de terre bourgeoisement
dessiné. Ses allées blondes de sable, bordées de
buis très verts, les deux cyprès de sa porte d'entrée, lui donnaient l'aspect d'une bastide mar-
seillaise. Pas une ligne d'ombre. Au fond, un
bâtiment de pierre blanche avec des jours de
caveau au ras du sol. J'avais d'abord cru à une
maison de campagne; mais, en y regardant
mieux, la croix qui la surmontait, une inscrip-
tion que je voyais de loin creusée dans la pierre,
sans en distinguer le texte, me firent reconnaître

un tombeau de famille corse. Tout autour
d'Ajaccio, il y a beaucoup de ces petites chapelles mortuaires, dressées au milieu de jardins
à elles seules. La famille y vient, le dimanche,
rendre visite à ses morts. Ainsi comprise, la mort
est moins lugubre que dans la confusion des
cimetières. Des pas amis troublent seuls le silence.

De ma place, je voyais un bon vieux trottiner
tranquillement par les allées. Tout le jour il
taillait les arbres, bêchait, arrosait, enlevait les
fleurs fanées avec un soin minutieux; puis, au
soleil couchant, il entrait dans la petite chapelle
où dormaient les morts de sa famille; il resser-
rait la bêche, les râteaux, les grands arrosoirs;
tout cela avec la tranquillité, la sérénité d'un
jardinier de cimetière. Pourtant, sans qu'il s'en
rendît bien compte, ce brave homme travaillait
avec un certain recueillement, tous les bruits
amortis et la porte du caveau refermée chaque
fois discrètement, comme s'il eût craint de réveiller quelqu'un. Dans le grand silence radieux,
l'entretien de ce petit jardin ne troublait pas
un oiseau, et son voisinage n'avait rien d'attris-
tant. Seulement la mer en paraissait plus immense, le ciel plus haut, et cette sieste sans fin
mettait tout autour d'elle, parmi la nature trou-
blante, accablante à force de vie, le sentiment de
l'éternel repos...

LES DEUX AUBERGES

C'ÉTAIT en revenant de Nîmes, un après-midi
de juillet. Il faisait une chaleur accablante. A
perte de vue, la route blanche, embrasée, pou-
droyait entre les jardins d'oliviers et de petits
chênes, sous un grand soleil d'argent mat qui
remplissait tout le ciel. Pas une tache d'ombre,
pas un souffle de vent. Rien que la vibration
de l'air chaud et le cri strident des cigales, musique folle, assourdissante, à temps pressés, qui
semble la sonorité même de cette immense vibration lumineuse... Je marchais en plein désert depuis deux heures, quand tout à coup, devant
moi, un groupe de maisons blanches se dégagea
de la poussière de la route. C'était ce qu'on
appelle le relais de Saint-Vincent : cinq ou six
mas, de longues granges à toiture rouge, un
abreuvoir sans eau dans un bouquet de figuiers
maigres, et, tout au bout du pays, deux grandes
auberges qui se regardent face à face de chaque
côté du chemin.

Le voisinage de ces auberges avait quelque chose de saisissant. D'un côté, un grand bâtiment neuf, plein de vie, d'animation, toutes les portes ouvertes, la diligence arrêtée devant, les chevaux fumants qu'on dételait, les voyageurs descendus buvant à la hâte sur la route dans l'ombre courte des murs; la cour encombrée de mulets, de charrettes; des rouliers couchés sous les hangars en attendant *la fraîche*. A l'intérieur, des cris, des jurons, des coups de poing sur les tables, le choc des verres, le fracas des billards, les bouchons de limonade qui sautaient, et, dominant tout ce tumulte, une voix joyeuse, éclatante, qui chantait à faire trembler les vitres :

> *La belle Margoton*
> *Tant matin s'est levée,*
> *A pris son broc d'argent,*
> *A l'eau s'en est allée...*

... L'auberge d'en face, au contraire, était silencieuse et comme abandonnée. De l'herbe sous le portail, des volets cassés, sur la porte un rameau de petit houx tout rouillé qui pendait comme un vieux panache, les marches du seuil calées avec des pierres de la route... Tout cela si pauvre, si pitoyable, que c'était une charité vraiment de s'arrêter là pour boire un coup.

*

En entrant, je trouvai une longue salle déserte et morne, que le jour éblouissant de trois grandes fenêtres sans rideaux fait plus morne et plus déserte encore. Quelques tables boiteuses où traînaient des verres ternis par la poussière, un billard crevé qui tendait ses quatre blouses comme des sébiles, un divan jaune, un vieux comptoir, dormaient là dans une chaleur malsaine et lourde. Et des mouches! des mouches! jamais je n'en avais tant vu : sur le plafond, collées aux vitres, dans les verres, par grappes... Quand j'ouvris la porte, ce fut un bourdonnement, un frémissement d'ailes comme si j'entrais dans une ruche.

Au fond de la salle, dans l'embrasure d'une croisée, il y avait une femme debout contre la vitre, très occupée à regarder dehors. Je l'appelai deux fois :

« Hé! l'hôtesse! »

Elle se retourna lentement, et me laissa voir une pauvre figure de paysanne, ridée, crevassée, couleur de terre, encadrée dans de longues barbes de dentelle rousse comme en portent les vieilles de chez nous. Pourtant ce n'était pas une vieille femme; mais les larmes l'avaient toute fanée.

« Qu'est-ce que vous voulez? me demanda-
t-elle en essuyant ses yeux.

— M'asseoir un moment et boire quelque
chose... »

Elle me regarda très étonnée, sans bouger de
sa place, comme si elle ne comprenait pas.

« Ce n'est donc pas une auberge ici? »

La femme soupira :

« Si... c'est une auberge, si vous voulez... Mais
pourquoi n'allez-vous pas en face comme les
autres? C'est bien plus gai...

— C'est trop gai pour moi... J'aime mieux
rester chez vous. »

Et, sans attendre sa réponse, je m'installai
devant une table.

Quand elle fut bien sûre que je parlais sérieu-
sement, l'hôtesse se mit à aller et venir d'un air
très affairé, ouvrant des tiroirs, remuant des
bouteilles, essuyant des verres, dérangeant les
mouches... On sentait que ce voyageur à servir
était tout un événement. Par moments la malheureuse s'arrêtait, et se prenait la tête comme
si elle désespérait d'en venir à bout.

Puis elle passait dans la pièce du fond; je l'entendais remuer de grosses clefs, tourmenter des
serrures, fouiller dans la huche au pain, souffler,
épousseter, laver des assiettes. De temps en
temps, un gros soupir, un sanglot mal
étouffé...

Après un quart d'heure de ce manège, j'eus devant moi une assiettée de *passerilles* (raisins secs), un vieux pain de Beaucaire aussi dur que du grès, et une bouteille de piquette.

« Vous êtes servi », dit l'étrange créature; et elle retourna bien vite prendre sa place devant la fenêtre.

Tout en buvant, j'essayai de la faire causer.

« Il ne vous vient pas souvent du monde, n'est-ce pas, ma pauvre femme?

— Oh! non, monsieur, jamais personne... Quand nous étions seuls dans ce pays, c'était différent : nous avions le relais, des repas de chasse pendant le temps des macreuses, des voitures toute l'année... Mais depuis que les voisins sont venus s'établir, nous avons tout perdu. Le monde aime mieux aller en face. Chez nous, on trouve que c'est trop triste... Le fait est que la maison n'est pas bien agréable. Je ne suis pas belle, j'ai les fièvres, mes deux petites sont mortes... Là-bas, au contraire, on rit tout le temps. C'est une Arlésienne qui tient l'auberge, une belle femme avec des dentelles et trois tours de chaîne d'or au cou. Le conducteur, qui est son amant, lui amène la diligence. Avec ça un tas d'enjôleuses pour chambrières... Aussi, il lui en vient de la pratique! Elle a toute la jeunesse de Bezouces, de Redessan, de Jonquières. Les rouliers font un détour pour passer par chez elle... Moi, je reste ici tout le jour, sans personne, à me consumer. »

Elle disait cela d'une voix distraite, indifférente, le front toujours appuyé contre la vitre. Il y avait évidemment dans l'auberge d'en face quelque chose qui la préoccupait...

Tout à coup, de l'autre côté de la route, il se fit un grand mouvement. La diligence s'ébranlait dans la poussière. On entendait des coups de fouet, les fanfares du postillon, les filles accourues sur la porte qui criaient :

« Adiousias!... adiousias!... » et par là-dessus la formidable voix de tantôt reprenant de plus belle :

> *A pris son broc d'argent,*
> *A l'eau s'en est allée;*
> *De là n'a vu venir*
> *Trois chevaliers d'armée...*

... A cette voix l'hôtesse frissonna de tout son corps, et, se tournant vers moi :

« Entendez-vous, me dit-elle tout bas, c'est mon mari... N'est-ce pas qu'il chante bien? »

Je la regardai, stupéfait.

« Comment? votre mari!... Il va donc là-bas, lui aussi? »

Alors elle, d'un air navré, mais avec une grande douceur :

« Qu'est-ce que vous voulez, monsieur? Les hommes sont comme ça, ils n'aiment pas voir pleurer; et moi je pleure toujours depuis la mort des petites... Puis, c'est si triste cette grande baraque où il n'y a jamais personne... Alors, quand il s'ennuie trop, mon pauvre José va boire en face, et comme il a une belle voix, l'Arlésienne le fait chanter. Chut!... le voilà qui recommence. »

Et, tremblante, les mains en avant, avec de grosses larmes qui la faisaient encore plus laide, elle était là comme en extase devant la fenêtre à écouter son José chanter pour l'Arlésienne :

> *Le premier lui a dit :*
> « *Bonjour, belle mignonne!* »

A MILIANAH

NOTES DE VOYAGE

CETTE fois, je vous emmène passer la journée
dans une jolie petite ville d'Algérie, à deux ou
trois cents lieues du moulin... Cela nous chan-
gera un peu des tambourins et des cigales...

... Il va pleuvoir, le ciel est gris, les crêtes du
mont Zaccar s'enveloppent de brume. Dimanche
triste... Dans ma petite chambre d'hôtel, la fenêtre ouverte sur les remparts arabes, j'essaye de
me distraire en allumant des cigarettes... On a
mis à ma disposition toute la bibliothèque de
l'hôtel; entre une histoire très détaillée de l'enregistrement et quelques romans de Paul de
Kock, je découvre un volume dépareillé de Montaigne... Ouvert le livre au hasard, relu l'admirable lettre sur la mort de La Boétie... Me voilà
plus rêveur et plus sombre que jamais... Quelques gouttes de pluie tombent déjà. Chaque
goutte, en tombant sur le rebord de la croisée,
fait une large étoile dans la poussière entassée
là depuis les pluies de l'an dernier... Mon livre

me glisse des mains et je passe de longs instants
à regarder cette étoile mélancolique...

Deux heures sonnent à l'horloge de la ville
— un ancien *marabout* dont j'aperçois d'ici les
grêles murailles blanches... Pauvre diable de
marabout! Qui lui aurait dit cela, il y a trente
ans, qu'un jour il porterait au milieu de la poitrine un gros cadran municipal, et que, tous les
dimanches, sur le coup de deux heures, il don-
nerait aux églises de Milianah le signal de sonner les vêpres?... Ding! dong! voilà les cloches
parties!... Nous en avons pour longtemps... Décidément, cette chambre est triste. Les grosses
araignées du matin, qu'on appelle pensées phi-
losophiques, ont tissé leurs toiles dans tous les
coins... Allons dehors.

*

J'arrive sur la grande place. La musique du
3ᵉ de ligne, qu'un peu de pluie n'épouvante pas,
vient de se ranger autour de son chef. A une
des fenêtres de la division, le général paraît,
entouré de ses demoiselles; sur la place, le sous-
préfet se promène de long en large au bras du
juge de paix. Une demi-douzaine de petits
Arabes à moitié nus jouent aux billes dans un
coin avec des cris féroces. Là-bas, un vieux juif
en guenilles vient chercher un rayon de soleil

qu'il avait laissé hier à cet endroit et qu'il
s'étonne de ne plus trouver... « Une, deux, trois,
partez! » La musique entonne une ancienne mazurka de Talexy, que les orgues de Barbarie
jouaient l'hiver dernier sous mes fenêtres. Cette
mazurka m'ennuyait autrefois; aujourd'hui elle
m'émeut jusqu'aux larmes.

Oh! comme ils sont heureux les musiciens du
3e! L'œil fixé sur les doubles croches, ivres de
rythme et de tapage, ils ne songent à rien qu'à
compter leurs mesures. Leur âme, toute leur
âme tient dans ce carré de papier large comme la
main, — qui tremble au bout de l'instrument
entre deux dents de cuivre. « Une, deux, trois,
partez! » Tout est là pour ces braves gens; jamais les airs nationaux qu'ils jouent ne leur ont
donné le mal du pays... Hélas! moi qui ne suis
pas de la musique, cette musique me fait peine,
et je m'éloigne...

●

Où pourrais-je bien le passer, ce gris après-
midi de dimanche? Bon! la boutique de Sid'-
Omar est ouverte. Entrons chez Sid'Omar.

Quoiqu'il ait une boutique, Sid'Omar n'est
point un boutiquier. C'est un prince de sang,
le fils d'un ancien dey d'Alger qui mourut étran-
glé par les janissaires... A la mort de son père,

Sid'Omar se réfugia dans Milianah avec sa mère
qu'il adorait, et vécut là quelques années comme
un grand seigneur philosophe parmi ses lévriers,
ses faucons, ses chevaux et ses femmes, dans de
jolis palais très frais, pleins d'orangers et de
fontaines. Vinrent les Français. Sid'Omar,
d'abord notre ennemi et l'allié d'Abd-el-Kader,
finit par se brouiller avec l'émir et fit sa soumis-
sion. L'émir, pour se venger, entra dans Milianah en l'absence de Sid'Omar, pilla ses palais,
rasa ses orangers, emmena ses chevaux et ses
femmes, et fit écraser la gorge de sa mère sous
le couvercle d'un grand coffre... La colère de
Sid'Omar fut terrible : sur l'heure même il se
mit au service de la France, et nous n'eûmes
pas de meilleur ni de plus féroce soldat que lui
tant que dura notre guerre contre l'émir. La
guerre finie, Sid'Omar revint à Milianah; mais
encore aujourd'hui, quand on parle d'Abd-el-
Kader devant lui, il devient pâle et ses yeux s'allument.

Sid'Omar a soixante ans. En dépit de l'âge et
de la petite vérole, son visage est resté beau :
de grands cils, un regard de femme, un sourire
charmant, l'air d'un prince. Ruiné par la guerre,
il ne lui reste de son ancienne opulence qu'une
ferme dans la plaine du Chélif et une maison
à Milianah, où il vit bourgeoisement, avec ses
trois fils élevés sous ses yeux. Les chefs indigènes

'ont en grande vénération. Quand une discus-
ion s'élève, on le prend volontiers pour arbitre,
et son jugement fait loi presque toujours. Il
ort peu; on le trouve tous les après-midi dans
une boutique attenant à sa maison et qui ouvre
ur la rue. Le mobilier de cette pièce n'est pas
riche : des murs blancs peints à la chaux, un
banc de bois circulaire, des coussins, de longues
pipes, deux braseros... C'est là que Sid'Omar
donne audience et rend la justice. Un Salomon
en boutique.

*

Aujourd'hui dimanche, l'assistance est nombreuse. Une douzaine de chefs sont accroupis,
dans leur beurnouss, tout autour de la salle.
Chacun d'eux a près de lui une grande pipe,
et une petite tasse de café dans un fin coque-
tier de filigrane. J'entre, personne ne bouge...
De sa place, Sid'Omar envoie à ma rencontre
son plus charmant sourire et m'invite de la main
à m'asseoir près de lui, sur un grand coussin
de soie jaune; puis, un doigt sur les lèvres, il
me fait signe d'écouter.

Voici le cas : Le caïd des Beni-Zougzougs ayant
eu quelque contestation avec un juif de Milianah au sujet d'un lopin de terre, les deux parties

sont convenues de porter le différend devan
Sid'Omar et de s'en remettre à son jugement
Rendez-vous est pris pour le jour même, les té
moins sont convoqués; tout à coup voilà mo
juif qui se ravise, et vient seul, sans témoins
déclarer qu'il aime mieux s'en rapporter au jug
de paix des Français qu'à Sid'Omar... L'affair
en est là à mon arrivée.

Le juif — vieux, barbe terreuse, veste mar
ron, bas bleus, casquette en velours — lève l
nez au ciel, roule des yeux suppliants, baise le
babouches de Sid'Omar, penche la tête, s'age
nouille, joint les mains... Je ne comprends pa
l'arabe, mais à la pantomime du juif, au mot
Zouge de paix, zouge de paix, qui revient
chaque instant, je devine tout ce beau discours

« Nous ne doutons pas de Sid'Omar, Sid'
Omar est sage, Sid'Omar est juste... Toutefoi
le *zouge de paix* fera bien mieux notre affaire.

L'auditoire, indigné, demeure impassibl
comme un Arabe qu'il est... Allongé sur so
coussin, l'œil noyé, le bouquin d'ambre au
lèvres, Sid'Omar — dieu de l'ironie — souri
en écoutant. Soudain, au milieu de sa plus bell
période, le juif est interrompu par un énergiqu
caramba! qui l'arrête net; en même temps u
colon espagnol, venu là comme témoin du caïd
quitte sa place et, s'approchant d'Iscariote, lu
verse sur la tête un plein panier d'imprécation

de toutes langues, de toutes couleurs, — entre autres certain vocable français trop gros monsieur pour qu'on le répète ici... Le fils de Sid'Omar, qui comprend le français, rougit d'entendre un mot pareil en présence de son père et sort de la salle. — Retenir ce trait de l'éducation arabe. — L'auditoire est toujours impassible, Sid'-Omar toujours souriant. Le juif s'est relevé et gagne la porte à reculons, tremblant de peur, mais gazouillant de plus belle son éternel *zouge de paix, zouge de paix*... Il sort. L'Espagnol, furieux, se précipite derrière lui, le rejoint dans la rue et par deux fois — vli! vlan! — le frappe en plein visage... Iscariote tombe à genoux, les bras en croix... L'Espagnol, un peu honteux, rentre dans la boutique... Dès qu'il est rentré, — le juif se relève et promène un regard sournois sur la foule bariolée qui l'entoure. Il y a là des gens de tout cuir — Maltais, Mahonais, Nègres, Arabes, — tous unis dans la haine du juif et joyeux d'en voir maltraiter un... Iscariote hésite un instant, puis, prenant un Arabe par le pan de son beurnouss :

« Tu l'as vu, Achmed, tu l'as vu... tu étais là... Le chrétien m'a frappé... Tu seras témoin... bien... bien... tu seras témoin. »

L'Arabe dégage son beurnouss et repousse le juif... Il ne sait rien, il n'a rien vu : juste au moment, il tournait la tête...

« Mais toi, Kaddour, tu l'as vu... tu as vu le chrétien me battre... », crie le malheureux Iscariote à un gros Nègre en train d'éplucher une figue de Barbarie.

Le Nègre crache en signe de mépris et s'éloigne; il n'a rien vu... Il n'a rien vu non plus, ce petit Maltais dont les yeux de charbon luisent méchamment derrière sa barrette; elle n'a rien vu, cette Mahonaise au teint de brique qui se sauve en riant, son panier de grenades sur la tête...

Le juif a beau crier, prier, se démener... pas de témoin! personne n'a rien vu... Par bonheur deux de ses coreligionnaires passent dans la rue à ce moment, l'oreille basse, rasant les murailles. Le juif les avise :

« Vite, vite, mes frères! Vite à l'homme d'affaires! Vite au *zouge de paix!*... Vous l'avez vu, vous autres... vous avez vu qu'on a battu le vieux! »

S'ils l'ont vu!... Je crois bien.

... Grand émoi dans la boutique de Sid'Omar... Le cafetier remplit les tasses, rallume les pipes. On cause, on rit à belles dents. C'est si amusant de voir rosser un juif!... Au milieu du brouhaha et de la fumée, je gagne la porte doucement; j'ai envie d'aller rôder un peu du côté d'Israël pour savoir comment les coreligionnaires d'Iscariote ont pris l'affront fait à leur frère...

« Viens dîner ce soir, *moussiou* », me crie le bon Sid'Omar...

J'accepte, je remercie. Me voilà dehors.

Au quartier juif, tout le monde est sur pied. L'affaire fait déjà grand bruit. Personne aux échoppes. Brodeurs, tailleurs, bourreliers, — tout Israël est dans la rue... Les hommes — en casquette de velours, en bas de laine bleue — gesticulent bruyamment, par groupes... Les femmes, pâles, bouffies, raides comme des idoles de bois dans leurs robes plates à plastron d'or, le visage entouré de bandelettes noires, vont d'un groupe à l'autre en miaulant... Au moment où j'arrive, un grand mouvement se fait dans la foule. On s'empresse, on se précipite... Appuyé sur ses témoins, le juif — héros de l'aventure — passe entre deux haies de casquettes, sous une pluie d'exhortations :

« Venge-toi, frère; venge-nous, venge le peuple juif. Ne crains rien; tu as la loi pour toi. »

Un affreux nain, puant la poix et le vieux cuir, s'approche de moi d'un air piteux, avec de gros soupirs :

« Tu vois, me dit-il. Les pauvres juifs, comme on nous traite! C'est un vieillard! regarde. Ils l'ont presque tué. »

De vrai, le pauvre Iscariote a l'air plus mort que vif. Il passe devant moi — l'œil éteint, le

visage défait; ne marchant pas, se traînant...
Une forte indemnité est seule capable de le gué-
rir; aussi ne le mène-t-on pas chez le médecin,
mais chez l'agent d'affaires.

Il y a beaucoup d'agents d'affaires en Algérie,
presque autant que de sauterelles. Le métier est
bon, paraît-il. Dans tous les cas, il a cet avantage
qu'on y peut entrer de plain-pied, sans examens,
ni cautionnement, ni stage. Comme à Paris nous
nous faisons hommes de lettres, on se fait agent
d'affaires en Algérie. Il suffit pour cela de savoir
un peu de français, d'espagnol, d'arabe, d'avoir
toujours un code dans ses fontes, et sur toute
chose le tempérament du métier.

Les fonctions de l'agent sont très variées : tour
à tour avocat, avoué, courtier, expert, interprète,
teneur de livres, commissionnaire, écrivain pu-
blic, c'est le maître Jacques de la colonie. Seulement Harpagon n'en avait qu'un, de maître
Jacques, et la colonie en a plus qu'il ne lui en
faut. Rien qu'à Milianah, on les compte par
douzaines. En général, pour éviter les frais de
bureau, ces messieurs reçoivent leurs clients au
café de la grand-place et donnent leurs consulta-
tions — les donnent-ils? — entre l'absinthe et
le champoreau

C'est vers le café de la grand-place que le digne Iscariote s'achemine, flanqué de ses deux témoins. Ne le suivons pas.

En sortant du quartier juif, je passe devant la maison du bureau arabe. Du dehors, avec son chapeau d'ardoises et le drapeau français qui flotte dessus, on la prendrait pour une mairie de village. Je connais l'interprète, entrons fumer une cigarette avec lui. De cigarette en cigarette, je finirai bien par le tuer, ce dimanche sans soleil!

La cour qui précède le bureau est encombrée d'Arabes en guenilles. Ils sont là une cinquantaine à faire antichambre, accroupis, le long du mur, dans leur beurnouss. Cette antichambre bédouine exhale — quoique en plein air — une forte odeur de cuir humain. Passons vite... Dans le bureau, je trouve l'interprète aux prises avec deux grands braillards entièrement nus sous de longues couvertures crasseuses, et racontant d'une mimique enragée je ne sais quelle histoire de chapelet volé. Je m'assieds sur une natte dans un coin, et je regarde... Un joli costume, ce costume d'interprète; et comme l'interprète de Milianah le porte bien! Ils ont l'air taillés l'un pour l'autre. Le costume est bleu de ciel avec

des brandebourgs noirs et des boutons d'or qui
reluisent. L'interprète est blond, rose, tout frisé;
un joli hussard bien plein d'humour et de fantaisie; un peu bavard, — il parle tant de langues!
— un peu sceptique, — il a connu Renan à
l'école orientaliste! — grand amateur de sport,
à l'aise au bivouac arabe comme aux soirées
de la sous-préfète, mazurkant mieux que personne, et faisant le coussouss comme pas un.
Parisien, pour tout dire; voilà mon homme, et
ne vous étonnez pas que les dames en raffolent.
Comme dandysme, il n'a qu'un rival : le sergent
du bureau arabe. Celui-ci — avec sa tunique de
drap fin et ses guêtres à boutons de nacre —
fait le désespoir et l'envie de toute la garnison.
Détaché au bureau arabe, il est dispensé des
corvées, et toujours se montre par les rues, ganté
de blanc, frisé de frais, avec de grands registres
sous le bras. On l'admire et on le redoute. C'est
une autorité.

Décidément, cette histoire de chapelet volé
menace d'être fort longue. Bonsoir! je n'attends
pas la fin.

En m'en allant je trouve l'antichambre en
émoi. La foule se presse autour d'un indigène
de haute taille, pâle, fier, drapé dans un beurnouss noir. Cet homme, il y a huit jours, s'est
battu dans le Zaccar avec une panthère. La panthère est morte; mais l'homme a eu la moitié

du bras mangée. Soir et matin, il vient se faire panser au bureau arabe, et chaque fois on l'arrête dans la cour pour lui entendre raconter son histoire. Il parle lentement, d'une belle voix gutturale. De temps en temps, il écarte son beurnouss et montre, attaché contre sa poitrine, son bras gauche entouré de linges sanglants.

*

A peine suis-je dans la rue, voilà un violent orage qui éclate. Pluie, tonnerre, éclairs, siroco... Vite, abritons-nous. J'enfile une porte au hasard, et je tombe au milieu d'une nichée de bohémiens, empilés sous les arceaux d'une cour moresque. Cette cour tient à la mosquée de Milianah; c'est le refuge habituel de la pouillerie musulmane, on l'appelle la *cour des pauvres*.

De grands lévriers maigres, tout couverts de vermine, viennent rôder autour de moi d'un air méchant. Adossé contre un des piliers de la galerie, je tâche de faire bonne contenance, et, sans parler à personne, je regarde la pluie qui ricoche sur les dalles coloriées de la cour. Les bohémiens sont à terre, couchés par tas. Près de moi, une jeune femme, presque belle, la gorge et les jambes découvertes, de gros bracelets de fer aux poignets et aux chevilles, chante un air bizarre à trois notes mélancoliques et nasillardes. En chantant, elle allaite un petit enfant tout nu en bronze rouge, et, du bras resté libre, elle pile de l'orge dans un mortier de pierre. La pluie, chassée par un vent cruel, inonde parfois les jambes de la nourrice et le corps de son nourrisson. La bohémienne n'y prend point garde et continue à chanter sous la rafale, en pilant l'orge et donnant le sein.

L'orage diminue. Profitant d'une embellie, je me hâte de quitter cette cour des miracles et je me dirige vers le dîner de Sid'Omar; il est temps... En traversant la grand-place, j'ai encore rencontré mon vieux juif de tantôt. Il s'appuie sur son agent d'affaires; ses témoins marchent joyeusement derrière lui; une bande de vilains petits juifs gambade à l'entour... Tous les visages rayonnent. L'agent se charge de l'affaire : il demandera au tribunal deux mille francs d'indemnité.

*

Chez Sid'Omar, dîner somptueux. — La salle à manger ouvre sur une élégante cour moresque, où chantent deux ou trois fontaines... Excellent repas turc, recommandé au baron Brisse. Entre autres plats, je remarque un poulet aux amandes, un cousscouss à la vanille, une tortue à la viande, — un peu lourde mais du plus haut goût. — et des biscuits au miel qu'on appelle *bouchées du kadi*... Comme vin, rien que du champagne. Malgré la loi musulmane Sid'Omar en boit un peu, — quand les serviteurs ont le dos tourné... Après dîner, nous passons dans la chambre de notre hôte, où l'on nous apporte des confitures, des pipes et du café... L'ameublement de cette chambre est des plus simples : un divan, quelques nattes; dans le fond, un grand lit très haut sur lequel flânent de petits coussins rouges brodés d'or... A la muraille est accrochée une vieille peinture turque représentant les exploits d'un certain amiral Hamadi. Il paraît qu'en Turquie les peintres n'emploient qu'une couleur par tableau : ce tableau-ci est voué au vert. La mer, le ciel, les navires, l'amiral Hamadi lui-même, tout est vert, et de quel vert!...

L'usage arabe veut qu'on se retire de bonne heure. Le café pris, les pipes fumées, je souhaite la bonne nuit à mon hôte, et je le laisse avec ses femmes.

*

Où finirai-je ma soirée? Il est trop tôt pour me coucher, les clairons des spahis n'ont pas encore sonné la retraite. D'ailleurs, les coussinets d'or de Sid'Omar dansent autour de moi des farandoles fantastiques qui m'empêcheraient de dormir.. Me voici devant le théâtre, entrons un moment.

Le théâtre de Milianah est un ancien magasin de fourrages, tant bien que mal déguisé en salle de spectacle. De gros quinquets, qu'on remplit d'huile pendant l'entracte, font l'office de lustres. Le parterre est debout, l'orchestre sur des bancs. Les galeries sont très fières parce qu'elles ont des chaises de paille... Tout autour de la salle, un long couloir, obscur, sans parquet... On se croirait dans la rue, rien n'y manque... La pièce est déjà commencée quand j'arrive. A ma grande surprise, les acteurs ne sont pas mauvais, je parle des hommes; ils ont de l'entrain, de la vie... Ce sont presque tous des amateurs, des soldats du 3°; le régiment en est fier et vient les applaudir tous les soirs.

Quant aux femmes, hélas!... c'est encore et toujours cet éternel féminin des petits théâtres de province, prétentieux, exagéré et faux... Il y en a deux pourtant qui m'intéressent parmi ces dames, deux juives de Milianah, toutes jeunes, qui débutent au théâtre... Les parents sont dans la salle et paraissent enchantés. Ils ont la conviction que leurs filles vont gagner des milliers de douros à ce commerce-là. La légende de Rachel, Israélite, millionnaire et comédienne est déjà répandue chez les juifs d'Orient.

Rien de comique et d'attendrissant comme

ces deux petites juives sur les planches... Elles
se tiennent timidement dans un coin de la scène,
poudrées, fardées, décolletées et toutes raides.
Elles ont froid, elles ont honte. De temps en
temps elles baragouinent une phrase sans la
comprendre, et pendant qu'elles parlent, leurs
grands yeux hébraïques regardent dans la salle
avec stupeur.

*

Je sors du théâtre... Au milieu de l'ombre
qui m'environne, j'entends des cris dans un coin
de la place... Quelques Maltais sans doute en
train de s'expliquer à coups de couteau...

Je reviens à l'hôtel, lentement, le long des
remparts. D'adorables senteurs d'orangers et
de thuyas montent de la plaine. L'air est doux,
le ciel presque pur... Là-bas, au bout du chemin,
se dresse un vieux fantôme de muraille, débris
de quelque ancien temple. Ce mur est sacré; tous
les jours les femmes arabes viennent y suspendre
des *ex-voto*, fragments de haïcks et de foutas,
longues tresses de cheveux roux liés par des fils
d'argent, pans de beurnouss... Tout cela va flottant sous un mince rayon de lune, au souffle
tiède de la nuit...

LES SAUTERELLES

ENCORE un souvenir d'Algérie, et puis nous reviendrons au moulin...

La nuit de mon arrivée dans cette ferme du Sahel, je ne pouvais pas dormir. Le pays nouveau, l'agitation du voyage, les aboiements des chacals, puis une chaleur énervante, oppressante, un étouffement complet, comme si les mailles de la moustiquaire n'avaient pas laissé passer un souffle d'air... Quand j'ouvris ma fenêtre, au petit jour, une brume d'été lourde, lentement remuée, frangée aux bords de noir et de rose, flottait dans l'air comme un nuage de poudre sur un champ de bataille. Pas une feuille ne bougeait, et dans ces beaux jardins que j'avais sous les yeux, les vignes espacées sur les pentes, au grand soleil qui fait les vins sucrés, les fruits d'Europe abrités dans un coin d'ombre, les petits orangers, les mandariniers en longues files microscopiques, tout gardait le même aspect

morne, cette immobilité des feuilles attendant
l'orage. Les bananiers eux-mêmes, ces grands
roseaux vert tendre, toujours agités par quelque
souffle qui emmêle leur fine chevelure si légère,
se dressaient silencieux et droits, en panaches
réguliers.

Je restai un moment à regarder cette plan-
tation merveilleuse, où tous les arbres du monde
se trouvaient réunis, donnant chacun dans leur
saison leurs fleurs et leurs fruits dépaysés. Entre
les champs de blé et les massifs de chênes-lièges,
un cours d'eau luisait, rafraîchissant à voir par
cette matinée étouffante; et tout en admirant le
luxe et l'ordre de ces choses, cette belle ferme
avec ses arcades moresques, ses terrasses toutes
blanches d'aube, les écuries et les hangars groupés autour, je songeais qu'il y a vingt ans, quand
ces braves gens étaient venus s'installer dans ce
vallon du Sahel, ils n'avaient trouvé qu'une
méchante baraque de cantonnier, une terre in-
culte hérissée de palmiers nains et de lentisques.
Tout à créer, tout à construire. A chaque instant des révoltes d'Arabes. Il fallait laisser la
charrue pour faire le coup de feu. Ensuite les
maladies, les ophtalmies, les fièvres, les récoltes
manquées, les tâtonnements de l'inexpérience,
la lutte avec une administration bornée, toujours
flottante. Que d'efforts! Que de fatigues! Quelle
surveillance incessante!

Encore maintenant, malgré les mauvais temps finis et la fortune si chèrement gagnée, tous deux, l'homme et la femme, étaient les premiers levés à la ferme. A cette heure matinale je les entendais aller et venir dans les grandes cuisines du rez-de-chaussée, surveillant le café des travailleurs. Bientôt une cloche sonna, et au bout d'un moment les ouvriers défilèrent sur la route. Des vignerons de Bourgogne; des laboureurs kabyles en guenilles, coiffés d'une chéchia rouge; des terrassiers mahonais, les jambes nues; des Maltais; des Lucquois; tout un peuple disparate, difficile à conduire. A chacun d'eux le fermier, devant la porte, distribuait sa tâche de la journée d'une voix brève, un peu rude. Quand il eut fini, le brave homme leva la tête, scruta le ciel d'un air inquiet; puis m'apercevant à la fenêtre :

« Mauvais temps pour la culture, me dit-il... voilà le siroco. »

En effet, à mesure que le soleil se levait, des bouffées d'air, brûlantes, suffocantes, nous arrivaient du sud comme de la porte d'un four ouverte et refermée. On ne savait où se mettre, que devenir. Toute la matinée se passa ainsi. Nous prîmes du café sur les nattes de la galerie, sans avoir le courage de parler ni de bouger. Les chiens allongés, cherchant la fraîcheur des dalles, s'étendaient dans des poses accablées. Le

déjeuner nous remit un peu, un déjeuner plan-
tureux et singulier où il y avait des carpes, des
truites, du sanglier, du hérisson, le beurre de
Staouëli, les vins de Crescia, des goyaves, des
bananes, tout un dépaysement de mets qui ressemblaient bien à la nature si complexe dont
nous étions entourés... On allait se lever de
table. Tout à coup, à la porte-fenêtre, fermée
pour nous garantir de la chaleur du jardin en
fournaise, de grands cris retentirent :

« Les criquets! les criquets! »

Mon hôte devint tout pâle comme un homme
à qui on annonce un désastre, et nous sortîmes
précipitamment. Pendant dix minutes, ce fut
dans l'habitation, si calme tout à l'heure, un
bruit de pas précipités, de voix indistinctes
perdues dans l'agitation d'un réveil. De l'ombre
des vestibules où ils s'étaient endormis, les serviteurs s'élancèrent dehors en faisant résonner avec
des bâtons, des fourches, des fléaux, tous les us-
tensiles de métal qui leur tombaient sous la
main, des chaudrons de cuivre, des bassines, des
casseroles. Les bergers soufflaient dans leur trom-
pes de pâturage. D'autres avaient des conques
marines, des cors de chasse. Cela faisait un va-
carme effrayant, discordant, que dominaient
d'une note suraiguë les « You! you! you! » des
femmes arabes accourues d'un douar voisin.
Souvent, paraît-il, il suffit d'un grand bruit, d'un

frémissement sonore de l'air, pour éloigner les sauterelles, les empêcher de descendre.

Mais où étaient-elles donc, ces terribles bêtes? Dans le ciel vibrant de chaleur, je ne voyais rien qu'un nuage venant à l'horizon, cuivré, compact, comme un nuage de grêle, avec le bruit d'un vent d'orage dans les mille rameaux d'une forêt. C'étaient les sauterelles. Soutenues entre elles par leurs ailes sèches étendues, elles volaient en masse, et malgré nos cris, nos efforts, le nuage s'avançait toujours, projetant dans la plaine une ombre immense. Bientôt il arriva au-dessus de nos têtes; sur les bords on vit pendant une seconde un effrangement, une déchirure. Comme les premiers grains d'une giboulée, quelques-unes se détachèrent, distinctes, roussâtres; ensuite toute la nuée creva, et cette grêle d'insectes tomba drue et bruyante. A perte de vue les champs étaient couverts de criquets, de criquets énormes, gros comme le doigt.

Alors le massacre commença. Hideux murmure d'écrasement, de paille broyée. Avec les herses, les pioches, les charrues, on remuait ce sol mouvant; et plus on en tuait, plus il y en avait. Elles grouillaient par couches, leurs hautes pattes enchevêtrées; celles du dessus faisaient des bonds de détresse, sautant au nez des chevaux attelés pour cet étrange labour. Les chiens de la ferme, ceux du douar, lancés à travers

champs, se ruaient sur elles, les broyaient avec
fureur. A ce moment, deux compagnies de turcos, clairons en tête, arrivèrent au secours des
malheureux colons, et la tuerie changea d'aspect.

Au lieu d'écraser les sauterelles, les soldats
les flambaient en répandant de longues traînées
de poudre.

Fatigué de tuer, écœuré par l'odeur infecte,
je rentrais. A l'intérieur de la ferme, il y en
avait presque autant que dehors. Elles étaient
entrées par les ouvertures des portes, des fenêtres,
la baie des cheminées. Au bord des boiseries,
dans les rideaux déjà tout mangés, elles se traînaient, tombaient, volaient, grimpaient aux
murs blancs avec une ombre gigantesque qui
doublait leur laideur. Et toujours cette odeur
épouvantable. A dîner, il fallut se passer d'eau.
Les citernes, les bassins, les puits, les viviers,
tout était infecté. Le soir, dans ma chambre,
où l'on en avait pourtant tué des quantités, j'entendis encore des grouillements sous les meubles,
et ce craquement d'élytres semblable au pétil-
lement des gousses qui éclatent à la grande chaleur. Cette nuit-là non plus je ne pus pas dormir.
D'ailleurs autour de la ferme tout restait éveillé.
Des flammes couraient au ras du sol d'un bout
à l'autre de la plaine. Les turcos en tuaient
toujours.

Le lendemain, quand j'ouvris ma fenêtre

comme la veille, les sauterelles étaient parties;
mais quelle ruine elles avaient laissée derrière
elles! Plus une fleur, plus un brin d'herbe : tout
était noir, rongé, calciné. Les bananiers, les abri-
cotiers, les pêchers, les mandariniers se reconnaissaient seulement à l'allure de leurs branches
dépouillées, sans le charme, le flottant de la
feuille qui est la vie de l'arbre. On nettoyait
les pièces d'eau, les citernes. Partout des laboureurs creusaient la terre pour tuer les œufs laissés par les insectes. Chaque motte était retour-
née, brisée soigneusement. Et le cœur se serrait
de voir les mille racines blanches, pleines de
sève, qui apparaissaient dans cet écroulement de
terre fertile...

L'ELIXIR
DU RÉVÉREND PÈRE GAUCHER

« Buvez ceci, mon voisin; vous m'en direz des nouvelles. »

Et, goutte à goutte, avec le soin minutieux d'un lapidaire comptant des perles, le curé de Graveson me versa deux doigts d'une liqueur verte, dorée, chaude, étincelante, exquise... J'en eus l'estomac tout ensoleillé.

« C'est l'élixir du père Gaucher, la joie et la santé de notre Provence, me fit le brave homme d'un air triomphant; on le fabrique au couvent des Prémontrés, à deux lieues de votre moulin... N'est-ce pas que cela vaut bien toutes les chartreuses du monde?... Et si vous saviez comme elle est amusante, l'histoire de cet élixir! Ecoutez plutôt... »

Alors, tout naïvement, sans y entendre malice, dans cette salle à manger du presbytère, si candide et si calme avec son Chemin de la croix en petits tableaux et ses jolis rideaux clairs empesés comme des surplis, l'abbé me commença

une historiette légèrement sceptique et irrévé-
rencieuse, à la façon d'un conte d'Erasme ou de
d'Assoucy.

*

Il y a vingt ans, les Prémontrés, ou plutôt les
Pères blancs, comme les appellent nos Provençaux, étaient tombés dans une grande misère. Si
vous aviez vu leur maison de ce temps-là, elle
vous aurait fait peine.

Le grand mur, la tour Pacôme s'en allaient en
morceaux. Tout autour du cloître rempli
l'herbes, les colonnettes se fendaient, les saints
de pierre croulaient dans leurs niches. Pas un
vitrail debout, pas une porte qui tînt. Dans les
préaux, dans les chapelles, le vent du Rhône
soufflait comme en Camargue, éteignant les
cierges, cassant le plomb des vitrages, chassant
l'eau des bénitiers. Mais le plus triste de tout,
c'était le clocher du couvent, silencieux comme
un pigeonnier vide, et les Pères, faute d'argent
pour s'acheter une cloche, obligés de sonner ma-
tines avec des cliquettes de bois d'amandier!...

Pauvres Pères blancs! Je les vois encore, à la
procession de la Fête-Dieu, défilant tristement
dans leurs capes rapiécées, pâles, maigres, nour-
ris de *citres* et de pastèques, et derrière eux
monseigneur l'abbé, qui venait la tête basse, tout

honteux de montrer au soleil sa crosse dédorée et sa mitre de laine blanche mangée des vers. Les dames de la confrérie en pleuraient de pitié dans les rangs, et les gros porte-bannière ricanaient entre eux tout bas en se montrant les pauvres moines :

« Les étourneaux vont maigres quand ils vont en troupe. »

Le fait est que les infortunés Pères blancs en étaient arrivés eux-mêmes à se demander s'ils ne feraient pas mieux de prendre leur vol à travers le monde et de chercher pâture chacun de son côté.

Or, un jour que cette grave question se débattait dans le chapitre, on vint annoncer au prieur que le frère Gaucher demandait à être entendu du conseil... Vous saurez pour votre gouverne que ce frère Gaucher était le bouvier du couvent; c'est-à-dire qu'il passait ses journées à rouler d'arcade en arcade dans le cloître, en poussant devant lui deux vaches étiques qui cherchaient l'herbe aux fentes des pavés. Nourri jusqu'à douze ans par une vieille folle du pays des Baux, qu'on appelait tante Bégon, recueilli depuis chez les moines, le malheureux bouvier n'avait jamais pu apprendre qu'à conduire ses bêtes et à réciter son *Pater noster;* encore le disait-il en provençal, car il avait la cervelle dure et l'esprit fin comme une dague de plomb. Fer-

vent chrétien du reste, quoique un peu vision-
naire, à l'aise sous le cilice et se donnant la discipline avec une conviction robuste, et des
bras!...

Quand on le vit entrer dans la salle du chapitre, simple et balourd, saluant l'assemblée la
jambe en arrière, prieur, chanoines, argentier,
tout le monde se mit à rire. C'était toujours
l'effet que produisait, quand elle arrivait
quelque part, cette bonne face grisonnante avec
sa barbe de chèvre et ses yeux un peu fous;
aussi le frère Gaucher ne s'en émut pas.

« Mes Révérends, fit-il d'un ton bonasse en
tortillant son chapelet de noyaux d'olives, on a
bien raison de dire que ce sont les tonneaux
vides qui chantent le mieux. Figurez-vous qu'à
force de creuser ma pauvre tête déjà si creuse,
je crois que j'ai trouvé le moyen de nous tirer
tous de peine.

« Voici comment. Vous savez bien tante Bégon, cette brave femme qui me gardait quand
j'étais petit. (Dieu ait son âme, la vieille coquine! elle chantait de bien vilaines chansons
après boire.) Je vous dirai donc, mes Révérends
Pères, que tante Bégon, de son vivant, se
connaissait aux herbes de montagne autant et
mieux qu'un vieux merle de Corse. Voire, elle
avait composé, sur la fin de ses jours, un élixir
incomparable en mélangeant cinq ou six espèces

de simples que nous allions cueillir ensemble
dans les Alpilles. Il y a belles années de cela;
mais je pense qu'avec l'aide de saint Augustin
et la permission de notre Père abbé, je pourrais
— en cherchant bien — retrouver la composi-
tion de ce mystérieux élixir. Nous n'aurions plus
alors qu'à le mettre en bouteilles, et à le vendre
un peu cher, ce qui permettrait à la communauté de s'enrichir doucettement, comme ont
fait nos frères de la Trappe et de la Grande... »

Il n'eut pas le temps de finir. Le prieur s'était
levé pour lui sauter au cou. Les chanoines lui
prenaient les mains. L'argentier, encore plus
ému que tous les autres, lui baisait avec respect
le bord tout effrangé de sa cucule... Puis chacun
revint à sa chaire pour délibérer; et, séance te-
nante, le chapitre décida qu'on confierait les
vaches au frère Thrasybule, pour que le frère
Gaucher pût se donner tout entier à la confec-
tion de son élixir.

*

Comment le bon frère parvint-il à retrouver
la recette de tante Bégon? au prix de quels
efforts? au prix de quelles veilles? L'histoire ne
le dit pas. Seulement, ce qui est sûr, c'est qu'au
bout de six mois, l'élixir des Pères blancs était
déjà très populaire. Dans tout le Comtat, dans

tout le pays d'Arles, pas un *mas*, pas une grange
qui n'eût au fond de sa *dépense,* entre les bouteilles de vin cuit et les jarres d'olives à la picho-
line, un petit flacon de terre brune cacheté aux
armes de Provence, avec un moine en extase
sur une étiquette d'argent. Grâce à la vogue de
son élixir, la maison des Prémontrés s'enrichit
très rapidement. On releva la tour Pacôme. Le
prieur eut une mitre neuve, l'église de jolis vitraux ouvragés; et, dans la fine dentelle du clocher, toute une compagnie de cloches et de clochettes vint s'abattre, un beau matin de Pâques,
tintant et carillonnant à la grande volée.

Quant au frère Gaucher, ce pauvre frère lai
dont les rusticités égayaient tant le chapitre, il
n'en fut plus question dans le couvent. On ne
connut plus désormais que le Révérend Père
Gaucher, homme de tête et de grand savoir, qui
vivait complètement isolé des occupations si me-
nues et si multiples du cloître, et s'enfermait
tout le jour dans sa distillerie, pendant que
trente moines battaient la montagne pour lui
chercher des herbes odorantes... Cette distillerie,
où personne, pas même le prieur, n'avait le droit
de pénétrer, était une ancienne chapelle abandonnée, tout au bout du jardin des chanoines.
La simplicité des bons Pères en avait fait
quelque chose de mystérieux et de formidable;
et si, par aventure, un moinillon hardi et

curieux, s'accrochant aux vignes grimpantes, arrivait jusqu'à la rosace du portail, il en dégringolait bien vite, effaré d'avoir vu le Père Gaucher, avec sa barbe de nécroman, penché sur ses fourneaux, le pèse-liqueur à la main; puis, tout autour, des cornues de grès rose, des alambics gigantesques, des serpentins de cristal, tout un encombrement bizarre qui flamboyait ensorcelé dans la lueur rouge des vitraux...

Au jour tombant, quand sonnait le dernier Angélus, la porte de ce lieu de mystère s'ouvrait discrètement, et le Révérend se rendait à l'église pour l'office du soir. Il fallait voir quel accueil quand il traversait le monastère! Les frères faisaient la haie sur son passage. On disait :

« Chut!... il a le secret!... »

L'argentier le suivait et lui parlait la tête basse... Au milieu de ces adulations, le Père s'en allait en s'épongeant le front, son tricorne aux larges bords posé en arrière comme une auréole, regardant autour de lui d'un air de complaisance les grandes cours plantées d'orangers, les toits bleus où tournaient des girouettes neuves, et, dans le cloître éclatant de blancheur — entre les colonnettes élégantes et fleuries —, les chanoines habillés de frais qui défilaient deux par deux avec des mines reposées.

« C'est à moi qu'ils doivent tout cela! » se disait le Révérend en lui-même; et chaque fois cette pensée lui faisait monter des bouffées d'orgueil.

Le pauvre homme en fut bien puni. Vous allez voir...

＊

Figurez-vous qu'un soir, pendant l'office, il arriva à l'église dans une agitation extraordinaire : rouge, essoufflé, le capuchon de travers, et si troublé qu'en prenant de l'eau bénite il y trempa ses manches jusqu'au coude. On crut d'abord que c'était l'émotion d'arriver en retard; mais quand on le vit faire de grandes révérences à l'orgue et aux tribunes au lieu de saluer le maître-autel, traverser l'église en coup de vent, errer dans le chœur pendant cinq minutes pour chercher sa stalle, puis, une fois assis, s'incliner de droite et de gauche en souriant d'un air béat, un murmure d'étonnement courut dans les trois nefs. On chuchotait de bréviaire à bréviaire :

« Qu'a donc notre Père Gaucher?... Qu'a donc notre Père Gaucher? »

Par deux fois le prieur, impatienté, fit tomber sa crosse sur les dalles pour commander le silence... Là-bas, au fond du chœur, les psaumes allaient toujours; mais les répons manquaient d'entrain...

Tout à coup, au beau milieu de l'*Ave verum*,

voilà mon Père Gaucher qui se renverse dans sa
stalle et entonne d'une voix éclatante :

> *Dans Paris, il y a un Père Blanc,*
> *Patatin, patatan, tarabin, taraban...*

Consternation générale. Tout le monde se
lève. On crie :

« Emportez-le... il est possédé! »

Les chanoines se signent. La crosse de monseigneur se démène... Mais le Père Gaucher ne
voit rien, n'écoute rien; et deux moines vigou-
reux sont obligés de l'entraîner par la petite
porte du chœur, se débattant comme un exor-
cisé et continuant de plus belle ses *patatin* et ses
taraban.

*

Le lendemain, au petit jour, le malheureux
était à genoux dans l'oratoire du prieur, et faisait sa *coulpe* avec un ruisseau de larmes :

« C'est l'élixir, monseigneur, c'est l'élixir qui
m'a surpris », disait-il en se frappant la poitrine.

Et de le voir si marri, si repentant, le bon
prieur en était tout ému lui-même.

« Allons, allons, Père Gaucher, calmez-vous,
tout cela séchera comme la rosée au soleil...

Après tout, le scandale n'a pas été aussi grand que vous pensez. Il y a bien eu la chanson qui était un peu... hum! hum!... Enfin il faut espérer que les novices ne l'auront pas entendue... A présent, voyons, dites-moi bien comment la chose vous est arrivée... C'est en essayant l'élixir, n'est-ce pas? Vous avez eu la main trop lourde... Oui, oui, je comprends... C'est comme le frère Schwartz, l'inventeur de la poudre : vous avez été victime de votre invention... Et dites-moi, mon brave ami, est-il bien nécessaire que vous l'essayiez sur vous-même, ce terrible élixir?

— Malheureusement, oui, monseigneur... l'éprouvette me donne bien la force et le degré de l'alcool; mais pour le fini, le velouté, je ne me fie guère qu'à ma langue...

— Ah! très bien... Mais écoutez encore un peu que je vous dise... Quand vous goûtez ainsi l'élixir par nécessité, est-ce que cela vous semble bon? Y prenez-vous du plaisir?...

— Hélas! oui, monseigneur, fit le malheureux Père en devenant tout rouge... Voilà deux soirs que je lui trouve un bouquet, un arôme!... C'est pour sûr le démon qui m'a joué ce vilain tour... Aussi je suis bien décidé désormais à ne plus me servir que de l'éprouvette. Tant pis si la liqueur n'est pas assez fine, si elle ne fait pas assez la perle...

— Gardez-vous-en bien, interrompit le prieur

vec vivacité. Il ne faut pas s'exposer à mécontenter la clientèle... Tout ce que vous avez à faire maintenant que vous voilà prévenu, c'est de vous tenir sur vos gardes... Voyons, qu'est-ce qu'il vous faut pour vous rendre compte?... Quinze ou vingt gouttes, n'est-ce pas?... mettons vingt gouttes... Le diable sera bien fin s'il vous attrape avec vingt gouttes... D'ailleurs, pour prévenir tout accident, je vous dispense dorénavant de venir à l'église. Vous direz l'office du soir dans la distillerie... Et maintenant, allez en paix, mon Révérend, et surtout... comptez bien vos gouttes. »

Hélas! le pauvre Révérend eut beau compter ses gouttes... le démon le tenait, et ne le lâcha plus.

C'est la distillerie qui entendit de singuliers offices!

*

Le jour, encore, tout allait bien. Le Père était assez calme : il préparait ses réchauds, ses alambics, triait soigneusement ses herbes, toutes herbes de Provence, fines, grises, dentelées, brûlées de parfums et de soleil... Mais, le soir, quand les simples étaient infusés et que l'élixir tiédissait dans de grandes bassines de cuivre rouge, le martyre du pauvre homme commençait.

« ... Dix-sept... dix-huit... dix-neuf... vingt!... »

Les gouttes tombaient du chalumeau dans le gobelet de vermeil. Ces vingt-là, le Père les avalait d'un trait, presque sans plaisir. Il n'y avait que la vingt et unième qui lui faisait envie. Oh! cette vingt et unième goutte!... Alors, pour échapper à la tentation, il allait s'agenouiller tout au bout du laboratoire et s'abîmait dans ses patenôtres. Mais de la liqueur encore chaude il montait une petite fumée toute chargée d'aromates, qui venait rôder autour de lui et, bon gré, mal gré, le ramenait vers les bassines... La liqueur était d'un beau vert doré. Penché dessus, les narines ouvertes, le père la remuait tout doucement avec son chalumeau, et dans les petites paillettes étincelantes que roulait le flot d'émeraude, il lui semblait voir les yeux de tante Bégon qui riaient et pétillaient en le regardant...

« Allons! encore une goutte! »

Et de goutte en goutte, l'infortuné finissait par avoir son gobelet plein jusqu'au bord. Alors, à bout de forces, il se laissait tomber dans un grand fauteuil, et, le corps abandonné, la paupière à demi close, il dégustait son péché par petits coups, en se disant tout bas avec un remords délicieux :

« Ah! je me damne... je me damne... »

Le plus terrible, c'est qu'au fond de cet élixir diabolique il retrouvait, par je ne sais quel sor-

ilège, toutes les vilaines chansons de tante Bégon : *Ce sont trois petites commères, qui parlent
de faire un banquet...* ou : *Bergerette de maître
André s'en va-t-au bois seulette...* et toujours la
fameuse des Pères blancs : *Patatin patatan.*

Pensez quelle confusion le lendemain, quand
les voisins de cellule lui faisaient d'un air
malin :

« Eh! eh! Père Gaucher, vous aviez des cigales
en tête, hier soir en vous couchant. »

Alors c'étaient des larmes, des désespoirs, et
le jeûne, et le cilice, et la discipline. Mais rien
ne pouvait contre le démon de l'élixir; et tous
les soirs, à la même heure, la possession recom-
mençait.

*

Pendant ce temps, les commandes pleuvaient
à l'abbaye que c'était une bénédiction. Il en
venait de Nîmes, d'Aix, d'Avignon, de Mar-
seille... De jour en jour le couvent prenait un
petit air de manufacture. Il y avait des frères
emballeurs, des frères étiqueteurs, d'autres pour
les écritures, d'autres pour le camionnage; le
service de Dieu y perdait bien par-ci par-là
quelques coups de cloches; mais les pauvres gens
du pays n'y perdaient rien, je vous en réponds...

Et donc, un beau dimanche matin, pendant

que l'argentier lisait en plein chapitre son in-
ventaire de fin d'année et que les bons chanoines
l'écoutaient les yeux brillants et le sourire aux
lèvres, voilà le Père Gaucher qui se précipite au
milieu de la conférence en criant :

« C'est fini... Je n'en fais plus... Rendez-moi
mes vaches.

— Qu'est-ce qu'il y a donc, Père Gaucher? demanda le prieur, qui se doutait bien un peu de
ce qu'il y avait.

— Ce qu'il y a, monseigneur?... Il y a que je
suis en train de me préparer une belle éternité
de flammes et de coups de fourche... il y a que je
bois, que je bois comme un misérable...

— Mais je vous avais dit de compter vos
gouttes.

— Ah! bien oui, compter mes gouttes! c'est
par gobelets qu'il faudrait compter maintenant..
Oui, mes Révérends, j'en suis là. Trois fioles par
soirée... Vous comprenez bien que cela ne peut
pas durer... Aussi, faites faire l'élixir par qui
vous voudrez... Que le feu de Dieu me brûle si
je m'en mêle encore! »

C'est le chapitre qui ne riait plus.

« Mais, malheureux, vous nous ruinez! criait
l'argentier en agitant son grand-livre.

— Préférez-vous que je me damne? »

Pour lors, le prieur se leva.

« Mes Révérends, dit-il en étendant sa belle

main blanche où luisait l'anneau pastoral, il y a moyen de tout arranger... C'est le soir, n'est-ce pas, mon cher fils, que le démon vous tente?...

— Oui, monsieur le prieur, régulièrement tous les soirs... Aussi, maintenant, quand je vois arriver la nuit, j'en ai, sauf votre respect, les sueurs qui me prennent, comme l'âne de Capitou, quand il voyait venir le bât.

— Eh bien, rassurez-vous... Dorénavant, tous les soirs, à l'office, nous réciterons à votre intention l'oraison de saint Augustin à laquelle l'indulgence plénière est attachée... Avec cela, quoi qu'il arrive, vous êtes à couvert... C'est l'absolution pendant le péché.

— Oh bien! alors, merci, monsieur le prieur! »

Et, sans en demander davantage, le Père Gaucher retourna à ses alambics, aussi léger qu'une alouette.

Effectivement, à partir de ce moment-là, tous les soirs à la fin des complies, l'officiant ne manquait jamais de dire :

« Prions pour notre pauvre Père Gaucher, qui sacrifie son âme aux intérêts de la communauté... *Oremus Domine*... »

Et pendant que sur toutes ces capuches blanches, prosternées dans l'ombre des nefs, l'oraison courait en frémissant comme une petite bise sur la neige, là-bas, tout au bout du couvent, der-

rière le vitrage enflammé de la distillerie, on
entendait le Père Gaucher qui chantait à tue-
tête :

> *Dans Paris il y a un Père blanc,*
> *Patatin, patatan, taraban, tarabin;*
> *Dans Paris il y a un Père blanc,*
> *Qui fait danser des moinettes,*
> *Trin, trin, trin, dans un jardin;*
> *Qui fait danser des...*

*

... Ici le bon curé s'arrêta plein d'épouvante :
« Miséricorde! si mes paroissiens m'enten-
daient! »

EN CAMARGUE

I

LE DÉPART

GRANDE rumeur au château. Le messager vient d'apporter un mot du garde, moitié en français, moitié en provençal, annonçant qu'il y a eu déjà deux ou trois beaux passages de *Galéjons,* de *Charlottines,* et que les *oiseaux de prime* non plus ne manquaient pas.

« Vous êtes des nôtres! » m'ont écrit mes aimables voisins; et ce matin, au petit jour de cinq heures, leur grand break, chargé de fusils, de chiens, de victuailles, est venu me prendre au bas de la côte. Nous voilà roulant sur la route d'Arles, un peu sèche, un peu dépouillée, par ce matin de décembre où la verdure pâle des oliviers est à peine visible, et la verdure crue des chênes-kermès un peu trop hivernale et factice. Les étables se remuent. Il y a des réveils

avant le jour qui allument la vitre des fermes;
et dans les découpures de pierre de l'abbaye de
Montmajour, des orfraies encore engourdies de
sommeil battent de l'aile parmi les ruines. Pourtant nous croisons déjà, le long des fossés, de
vieilles paysannes qui vont au marché au trot de
leurs bourriquets. Elles viennent de la Ville-
des-Baux. Six grandes lieues pour s'asseoir une
heure sur les marches de Saint-Trophyme et
vendre des petits paquets de simples ramassés
dans la montagne!...

Maintenant voici les remparts d'Arles; des
remparts bas et crénelés, comme on en voit sur
les anciennes estampes où des guerriers armés de
lances apparaissent en haut de talus moins
grands qu'eux. Nous traversons au galop cette
merveilleuse petite ville, une des plus pitto-
resques de France, avec ses balcons sculptés,
arrondis, s'avançant comme des moucharabiés
jusqu'au milieu des rues étroites, avec ses vieilles
maisons noires aux petites portes moresques,
ogivales et basses, qui vous reportent au temps
de Guillaume Court-Nez et des Sarrasins. A cette
heure, il n'y a encore personne dehors. Le quai
du Rhône seul est animé. Le bateau à vapeur
qui fait le service de la Camargue chauffe au bas
des marches, prêt à partir. Des *ménagers* en veste
de cadis roux, des filles de La Roquette qui vont
se louer pour des travaux des fermes, montent

sur le pont avec nous, causant et riant entre
eux. Sous les longues mantes brunes rabattues
à cause de l'air vif du matin, la haute coiffure
arlésienne fait la tête élégante et petite avec un
joli grain d'effronterie, une envie de se dresser
pour lancer le rire ou la malice plus loin... La
cloche sonne; nous partons. Avec la triple vitesse
du Rhône, de l'hélice, du mistral, les deux ri-
vages se déroulent. D'un côté c'est la Crau, une
plaine aride, pierreuse. De l'autre, la Camargue,
plus verte, qui prolonge jusqu'à la mer son
herbe courte et ses marais pleins de roseaux.

De temps en temps le bateau s'arrête près
d'un ponton, à gauche ou à droite, à Empire ou
à Royaume, comme on disait au moyen âge, du
temps du Royaume d'Arles, et comme les vieux
mariniers du Rhône disent encore aujourd'hui.
A chaque ponton, une ferme blanche, un bouquet d'arbres. Les travailleurs descendent chargés d'outils, les femmes leur panier au bras,
droites sur la passerelle. Vers Empire ou vers
Royaume peu à peu le bateau se vide et quand
il arrive au ponton du Mas-de-Giraud où nous
descendons, il n'y a presque plus personne à
bord.

Le Mas-de-Giraud est une vieille ferme des
seigneurs de Barbentane, où nous entrons pour
attendre le garde qui doit venir nous chercher.
Dans la haute cuisine, tous les hommes de la

ferme, laboureurs, vignerons, bergers, bergerots,
sont attablés, graves, silencieux, mangeant lentement, et servis par les femmes qui ne mange-
ront qu'après. Bientôt le garde paraît avec la
carriole. Vrai type à la Fenimore, trappeur de
terre et d'eau, garde-pêche et garde-chasse, les
gens du pays l'appellent *lou Roudeïroù* (le rô-
deur), parce qu'on le voit toujours, dans les
brumes d'aube ou de jour tombant, caché pour
l'affût parmi les roseaux ou bien immobile dans
son petit bateau, occupé à surveiller ses nasses
sur les *clairs* (les étangs) et les *roubines* (canaux
d'irrigation). C'est peut-être ce métier d'éternel
guetteur qui le rend aussi silencieux, aussi
concentré. Pourtant, pendant que la petite carriole chargée de fusils et de paniers marche devant nous, il nous donne des nouvelles de la
chasse, le nombre des passages, les quartiers où
les oiseaux voyageurs se sont abattus. Tout en
causant, on s'enfonce dans le pays.

Les terres cultivées dépassées, nous voici en
pleine Camargue sauvage. A perte de vue, parmi
les pâturages, des marais, des roubines luisent
dans les salicornes. Des bouquets de tamaris et
de roseaux font des îlots comme sur une mer
calme. Pas d'arbres hauts. L'aspect uni, immense
de la plaine, n'est pas troublé. De loin en loin,
des parcs de bestiaux étendent leurs toits bas
presque au ras de terre. Des troupeaux dispersés,

couchés dans les herbes salines, ou cheminant
errés autour de la cape rousse du berger, n'in-
terrompent pas la grande ligne uniforme, amoin-
dris qu'ils sont par cet espace infini d'horizons
bleus et de ciel ouvert. Comme de la mer unie
malgré ses vagues, il se dégage de cette plaine
un sentiment de solitude, d'immensité, accru
encore par le mistral qui souffle sans relâche,
sans obstacle, et qui, de son haleine puissante,
semble aplanir, agrandir le paysage. Tout se
courbe devant lui. Les moindres arbustes gardent l'empreinte de son passage, en restent tor-
dus, couchés vers le sud dans l'attitude d'une
fuite perpétuelle...

II

LA CABANE

Un toit de roseaux, des murs de roseaux des-
séchés et jaunes, c'est la cabane. Ainsi s'appelle
notre rendez-vous de chasse. Type de la maison
camarguaise, la cabane se compose d'une unique
pièce, haute, vaste, sans fenêtre, et prenant jour
par une porte vitrée qu'on ferme le soir avec des
volets pleins. Tout le long des grands murs cré-

pis, blanchis à la chaux, des râteliers attendent
les fusils, les carniers, les bottes de marais. Au
fond, cinq ou six berceaux sont rangés autour
d'un vrai mât planté au sol et montant jusqu'au
toit auquel il sert d'appui. La nuit, quand le
mistral souffle et que la maison craque de partout, avec la mer lointaine et le vent qui la rapproche, porte son bruit, le continue en l'enflant
on se croirait couché dans la chambre d'un bateau.

Mais c'est l'après-midi surtout que la cabane
est charmante. Par nos belles journées d'hiver
méridional, j'aime rester tout seul près de la
haute cheminée où fument quelques pieds de
tamaris. Sous les coups du mistral ou de la tramontane, la porte saute, les roseaux crient, et
toutes ces secousses sont un bien petit écho du
grand ébranlement de la nature autour de moi.
Le soleil d'hiver fouetté par l'énorme courant
s'éparpille, joint ses rayons, les disperse. De
grandes ombres courent sous un ciel bleu admirable. La lumière arrive par saccades, les bruits
aussi; et les sonnailles des troupeaux entendues
tout à coup, puis oubliées, perdues dans le vent,
reviennent chanter sous la porte ébranlée avec
le charme d'un refrain... L'heure exquise, c'est
le crépuscule, un peu avant que les chasseurs
n'arrivent. Alors le vent s'est calmé. Je sors un
moment. En paix le grand soleil rouge descend,

enflammé, sans chaleur. La nuit tombe, vous frôle en passant de son aile noire tout humide. Là-bas, au ras du sol, la lumière d'un coup de feu passe avec l'éclat d'une étoile rouge, avivée par l'ombre environnante. Dans ce qui reste de jour, la vie se hâte. Un long triangle de canards vole très bas, comme s'ils voulaient prendre terre; mais tout à coup la cabane, où le *caleil* est allumé, les éloigne : celui qui tient la tête de la colonne dresse le cou, remonte, et tous les autres derrière lui s'emportent plus haut avec des cris sauvagés.

Bientôt un piétinement immense se rapproche, pareil à un bruit de pluie. Des milliers de moutons, rappelés par les bergers, harcelés par les chiens, dont on entend le galop confus et l'haleine haletante, se pressent vers les parcs, peureux et indisciplinés. Je suis envahi, frôlé, confondu dans ce tourbillon de laines frisées, de bêlements; une houle véritable où les bergers semblent portés avec leur ombre par des flots bondissants... Derrière les troupeaux, voici des pas connus, des voix joyeuses. La cabane est pleine, animée, bruyante. Les sarments flambent. On rit d'autant plus qu'on est plus las. C'est un étourdissement d'heureuse fatigue, les fusils dans un coin, les grandes bottes jetées pêle-mêle, les carniers vides, et à côté les plumages roux, dorés, verts, argentés, tout tachés de sang. La table est mise; et dans la fumée d'une bonne soupe d'anguilles, le silence se fait, le grand silence des appétits robustes, interrompu seulement par les grognements féroces des chiens qui lapent leur écuelle à tâtons devant la porte...

La veillée sera courte. Déjà, près du feu, clignotant lui aussi, il ne reste plus que le garde et moi. Nous causons, c'est-à-dire nous nous jetons de temps en temps l'un à l'autre des demi-mots à la façon des paysans, de ces interjections presque indiennes, courtes et vite éteintes comme les dernières étincelles des sarments consumés. Enfin le garde se lève, allume sa lanterne, et j'écoute son pas lourd qui se perd dans la nuit...

III

A L'ESPÈRE (A L'AFFÛT)

L'espère! quel joli nom pour désigner l'affût, l'attente du chasseur embusqué, et ces heures indécises où tout attend, *espère,* hésite entre le jour et la nuit. L'affût du matin un peu avant le lever du soleil, l'affût du soir au crépuscule. C'est ce dernier que je préfère, surtout dans ces pays marécageux où l'eau des *clairs* garde si longtemps la lumière...

Quelquefois on tient l'affût dans le *negochin* (le naye-chien), un tout petit bateau sans quille, étroit, roulant au moindre mouvement. Abrité par les roseaux, le chasseur guette les canards du fond de sa barque, que dépassent seulement la visière d'une casquette, le canon du fusil et la tête du chien flairant le vent, happant les moustiques, ou bien de ses grosses pattes étendues penchant tout le bateau d'un côté et le remplissant d'eau. Cet affût-là est trop compliqué pour mon inexpérience.

Aussi, le plus souvent, je vais à *l'espère* à pied, barbotant en plein marécage avec d'énormes bottes taillées dans toute la longueur du cuir. Je marche lentement, prudemment, de peur de m'envaser. J'écarte les roseaux pleins d'odeurs saumâtres et de sauts de grenouilles...

Enfin, voici un îlot de tamaris, un coin de terre sèche où je m'installe. Le garde, pour me faire honneur, a laissé son chien avec moi; un énorme chien des Pyrénées à grande toison blanche, chasseur et pêcheur de premier ordre, et dont la présence ne laisse pas que de m'intimider un peu. Quand une poule d'eau passe à ma portée, il a une certaine façon ironique de me regarder en rejetant en arrière, d'un coup de tête à l'artiste, deux longues oreilles flasques qui lui pendent dans les yeux; puis des poses à l'arrêt, des frétillements de queue, toute une mimique d'impatience pour me dire :

« Tire... tire donc! »

Je tire, je manque. Alors, allongé de tout son corps, il bâille et s'étire d'un air las, découragé, et insolent...

Eh bien, oui, j'en conviens, je suis un mauvais chasseur. L'affût, pour moi, c'est l'heure qui tombe, la lumière diminuée, réfugiée dans l'eau, les étangs qui luisent, polissant jusqu'au ton de l'argent fin la teinte grise du ciel assombri. J'aime cette odeur d'eau, ce frôlement mystérieux des insectes dans les roseaux, ce petit murmure des longues feuilles qui frissonnent. De temps en temps, une note triste passe et roule dans le ciel comme un ronflement de conque marine. C'est le butor qui plonge au fond de l'eau son bec immense d'oiseau-pêcheur et souffle... rrrououou! Des vols de grues filent sur ma tête. J'entends le froissement des plumes, l'ébouriffement du duvet dans l'air vif, et jusqu'au craquement de la petite armature surmenée. Puis, plus rien. C'est la nuit, la nuit profonde, avec un peu de jour resté sur l'eau...

Tout à coup, j'éprouve un tressaillement, une espèce de gêne nerveuse, comme si j'avais quelqu'un derrière moi. Je me retourne, et j'aper-

çois le compagnon des belles nuits, la lune, une
large lune toute ronde, qui se lève doucement,
avec un mouvement d'ascension d'abord très sen-
sible, et se ralentissant à mesure qu'elle s'éloigne
de l'horizon.

Déjà un premier rayon est distinct près de
moi, puis un autre un peu plus loin... Maintenant tout le marécage est allumé. La moindre
touffe d'herbe a son ombre. L'affût est fini, les
oiseaux nous voient : il faut rentrer. On marche
au milieu d'une inondation de lumière bleue,
légère, poussiéreuse; et chacun de nos pas dans
les *clairs,* dans les *roubines,* y remue des tas
d'étoiles tombées et des rayons de lune qui tra-
versent l'eau jusqu'au fond.

IV

LE ROUGE ET LE BLANC

Tout près de chez nous, à une portée de fusil
de la cabane, il y en a une autre qui lui res-
semble, mais plus rustique. C'est là que notre
garde habite avec sa femme et ses deux aînés :
la fille, qui soigne le repas des hommes, raccom-

mode les filets de pêche; le garçon, qui aide son
père à relever les nasses, à surveiller les *marti-
lières* (vannes) des étangs. Les deux plus jeunes
sont à Arles, chez la grand-mère; et ils y reste-
ront jusqu'à ce qu'ils aient appris à lire et qu'ils
aient fait leur *bon jour* (première communion),
car ici on est trop loin de l'église et de l'école,
et puis l'air de la Camargue ne vaudrait rien
pour ces petits. Le fait est que, l'été venu, quand
les marais sont à sec et que la vase blanche des
roubines se crevasse à la grande chaleur, l'île
n'est vraiment pas habitable.

J'ai vu cela une fois, au mois d'août, en venant tirer les hallebrands, et je n'oublierai jamais l'aspect triste et féroce de ce paysage
embrasé. De place en place, les étangs fumaient
au soleil comme d'immenses cuves, gardant tout
au fond un reste de vie qui s'agitait, un grouil-
lement de salamandres, d'araignées, de mouches
d'eau cherchant des coins humides. Il y avait là
un air de peste, une brume de miasmes lourdement flottante qu'épaississaient encore d'innom-
brables tourbillons de moustiques. Chez le garde,
tout le monde grelottait, tout le monde avait la
fièvre, et c'était pitié de voir les visages jaunes,
tirés, les yeux cerclés, trop grands, de ces malheureux condamnés à se traîner, pendant trois
mois, sous ce plein soleil inexorable qui brûle
les fiévreux sans les réchauffer... Triste et pé-

nible vie que celle de garde-chasse en Camargue!
Encore celui-là a sa femme et ses enfants près de
lui; mais à deux lieues plus loin, dans le marécage, demeure un gardien de chevaux qui, lui,
vit absolument seul d'un bout de l'année à
l'autre et mène une véritable existence de Ro-
binson. Dans sa cabane de roseaux, qu'il a
construite lui-même, pas un ustensile qui ne soit
son ouvrage, depuis le hamac d'osier tressé, les
trois pierres noires assemblées en foyer, les pieds
de tamaris taillés en escabeaux, jusqu'à la serrure et la clé de bois blanc fermant cette singulière habitation.

L'homme est au moins aussi étrange que son
logis. C'est une espèce de philosophe silencieux
comme les solitaires, abritant sa méfiance de paysan sous d'épais sourcils en broussailles. Quand
il n'est pas dans le pâturage, on le trouve assis
devant sa porte, déchiffrant lentement, avec une
application enfantine et touchante, une de ces
petites brochures roses, bleues ou jaunes, qui en-
tourent les fioles pharmaceutiques dont il se sert
pour ses chevaux. Le pauvre diable n'a pas
d'autre distraction que la lecture, ni d'autres
livres que ceux-là. Quoique voisins de cabane,
notre garde et lui ne se voient pas. Ils évitent
même de se rencontrer. Un jour que je deman-
dais au *roudeïroù* la raison de cette antipathie,
il me répondit d'un air grave :

« C'est à cause des opinions... Il est rouge, et moi je suis blanc. »

Ainsi, même dans ce désert dont la solitude aurait dû les rapprocher, ces deux sauvages, aussi ignorants, aussi naïfs l'un que l'autre, ces deux bouviers de Théocrite, qui vont à la ville à peine une fois par an et à qui les petits cafés d'Arles, avec leurs dorures et leurs glaces, donnent l'éblouissement du palais des Ptolémées, ont trouvé moyen de se haïr au nom de leurs convictions politiques!

V

LE VACCARÈS

Ce qu'il y a de plus beau en Camargue, c'est le Vaccarès. Souvent, abandonnant la chasse, je viens m'asseoir au bord de ce lac salé, une petite mer qui semble un morceau de la grande, enfermé dans les terres et devenu familier par sa captivité même. Au lieu de ce dessèchement, de cette aridité qui attristent d'ordinaire les côtes, le Vaccarès, sur son rivage un peu haut, tout vert d'herbe fine, veloutée, étale une flore ori-

ginale et charmante : des centaurées, des trèfles
d'eau, des gentianes, et ces jolies *saladelles*
bleues en hiver, rouges en été, qui transforment
leur couleur au changement d'atmosphère, et
dans une floraison ininterrompue marquent les
saisons de leurs tons divers.

Vers cinq heures du soir, à l'heure où le soleil
décline, ces trois lieues d'eau sans une barque,
sans une voile pour limiter, transformer leur
étendue, ont un aspect admirable. Ce n'est plus
le charme intime des *clairs*, des *roubines*, appa-
raissant de distance en distance entre les plis
d'un terrain marneux sous lequel on sent l'eau
filtrer partout, prête à se montrer à la moindre
dépression du sol. Ici, l'impression est grande,
large.

De loin, ce rayonnement de vagues attire des
troupes de macreuses, des hérons, des butors,
des flamants au ventre blanc, aux ailes roses,
s'alignant pour pêcher tout le long du rivage, de
façon à disposer leurs teintes diverses en une
longue bande égale; et puis des ibis, de vrais
ibis d'Egypte, bien chez eux dans ce soleil splendide et ce paysage muet. De ma place, en effet,
je n'entends rien que l'eau qui clapote, et la
voix du gardien qui rappelle ses chevaux dispersés sur le bord. Ils ont tous des noms retentis-
sants : « Cifer!... (Lucifer)... L'Estello!... L'Es-
tournello!... » Chaque bête, en s'entendant nom-

mer, accourt, la crinière au vent, et vient manger l'avoine dans la main du gardien.

Plus loin, toujours sur la même rive, se trouve une grande *manado* (troupeau) de bœufs paissant en liberté comme les chevaux. De temps en temps, j'aperçois au-dessus d'un bouquet de tamaris l'arête de leurs dos courbés. et leurs petites cornes en croissant qui se dressent. La plupart de ces bœufs de Camargue sont élevés pour courir dans les *ferrades,* les fêtes de villages; et quelques-uns ont des noms déjà célèbres par tous les cirques de Provence et de Languedoc. C'est ainsi que la *manado* voisine compte entre autres un terrible combattant, appelé *le Romain,* qui a décousu je ne sais combien d'hommes et de chevaux aux courses d'Arles, de Nîmes, de Tarascon. Aussi ses compagnons l'ont-ils pris pour chef; car, dans ces étranges troupeaux, les bêtes se gouvernent elles-mêmes, groupées autour d'un vieux taureau qu'elles adoptent comme conducteur. Quand un ouragan tombe sur la Camargue, terrible dans cette grande plaine où rien ne le détourne, ne l'arrête, il faut voir la *manado* se serrer derrière son chef, toutes les têtes baissées tournant du côté du vent ces larges fronts où la force du bœuf se condense. Nos bergers provençaux appellent cette manœuvre : *vira la bano au gisele* — tourner la corne au vent. Et malheur aux troupeaux qui ne s'y

conforment pas! Aveuglée par la pluie, entraî-
née par l'ouragan, la *manado* en déroute tourne
sur elle-même, s'effare, se disperse, et les bœufs
éperdus, courant devant eux pour échapper à
la tempête, se précipitent dans le Rhône, dans
le Vaccarès ou dans la mer.

NOSTALGIES DE CASERNE

CE matin, aux premières clartés de l'aube, un formidable roulement de tambour me réveille en sursaut... Ran plan plan! Ran plan plan!...

Un tambour dans mes pins à pareille heure!... Voilà qui est singulier, par exemple.

Vite, vite, je me jette à bas de mon lit et je cours ouvrir la porte.

Personne! Le bruit s'est tu... Du milieu des lambrusques mouillées, deux ou trois courlis s'envolent en secouant leurs ailes... Un peu de brise chante dans les arbres... Vers l'orient, sur la crête fine des Alpilles, s'entasse une poussière d'or d'où le soleil sort lentement... Un premier rayon frise déjà le toit du moulin. Au même moment, le tambour, invisible, se met à battre aux champs sous le couvert... Ran... plan... plan, plan, plan!

Le diable soit de la peau d'âne! Je l'avais oubliée. Mais enfin, quel est donc le sauvage qui vient saluer l'aurore au fond des bois avec un

tambour?... J'ai beau regarder, je ne vois rien...
rien que les touffes de lavande, et les pins qui
dégringolent jusqu'en bas sur la route... Il y a
peut-être par-là, dans le fourré, quelque lutin
caché en train de se moquer de moi... C'est
Ariel, sans doute, ou maître Puck. Le drôle se
sera dit, en passant devant mon moulin :

« Ce Parisien est trop tranquille là-dedans,
allons lui donner l'aubade. »

Sur quoi, il aura pris un gros tambour, et...
ran plan plan!... ran plan plan!... Te tairas-tu,
gredin de Puck! tu vas réveiller mes cigales.

●

Ce n'était pas Puck.

C'était Gouguet François, dit Pistolet, tambour au 31ᵉ de ligne, et pour le moment en
congé de semestre. Pistolet s'ennuie au pays, il
a des nostalgies, ce tambour, et — quand on
veut bien lui prêter l'instrument de la commune
— il s'en va, mélancolique, battre la caisse dans
les bois, en rêvant de la caserne du Prince-Eu-
gène.

C'est sur ma petite colline verte qu'il est venu
rêver aujourd'hui... Il est là, debout contre un
pin, son tambour entre ses jambes et s'en donnant à cœur joie... Des vols de perdreaux effa-
rouchés partent à ses pieds sans qu'il s'en aper-

246 LETTRES DE MON MOULIN

çoive. La férigoule embaume autour de lui, il
ne la sent pas.

Il ne voit pas non plus les fines toiles d'araignées qui tremblent au soleil entre les branches,
ni les aiguilles de pin qui sautillent sur son tambour. Tout entier à son rêve et à sa musique, il
regarde amoureusement voler ses baguettes, et
sa grosse face niaise s'épanouit de plaisir à
chaque roulement.

Ran plan plan! Ran plan plan!...

« Qu'elle est belle, la grande caserne, avec sa
cour aux larges dalles, ses rangées de fenêtres
bien alignées, son peuple en bonnet de police,
et ses arcades basses pleines du bruit des ga-
melles!... »

Ran plan plan! Ran plan plan!...

« Oh! l'escalier sonore, les corridors peints à
la chaux, la chambrée odorante, les ceinturons
qu'on astique, la planche au pain, les pots de
cirage, les couchettes de fer à couverture grise,
les fusils qui reluisent au râtelier! »

Ran plan plan! Ran plan plan!

« Oh! les bonnes journées du corps de garde,
les cartes qui poissent aux doigts, la dame de
pique hideuse avec des agréments à la plume,
le vieux Pigault-Lebrun dépareillé qui traîne
sur le lit de camp!... »

Ran plan plan! Ran plan plan!

« Oh! les longues nuits de faction à la porte

des ministères, la vieille guérite où la pluie entre, les pieds qui ont froid!... les voitures de gala qui vous éclaboussent en passant!... Oh! la corvée supplémentaire, les jours de bloc, le baquet puant, l'oreiller de planche, la diane froide par les matins pluvieux, la retraite dans les brouillards à l'heure où le gaz s'allume, l'appel du soir où l'on arrive essoufflé! »

Ran plan plan! Ran plan plan!

« Oh! le bois de Vincennes, les gros gants de coton blanc, les promenades sur les fortifications... Oh! la barrière de l'Ecole, les filles à soldats, le piston du Salon de Mars, l'absinthe dans les bouis-bouis, les confidences entre deux hoquets, les briquets qu'on dégaine, la romance sentimentale chantée une main sur le cœur!... »

*

Rêve, rêve, pauvre homme! ce n'est pas moi qui t'en empêcherai... tape hardiment sur ta caisse, tape à tour de bras. Je n'ai pas le droit de te trouver ridicule.

Si tu as la nostalgie de ta caserne, est-ce que, moi, je n'ai pas la nostalgie de la mienne?

Mon Paris me poursuit jusqu'ici comme le tien. Tu joues du tambour sous les pins, toi! Moi, j'y fais de la copie... Ah! les bons Provençaux que nous faisons! Là-bas, dans les casernes de Paris, nous regrettons nos Alpilles bleues et l'odeur sauvage des lavandes; maintenant, ici, en pleine Provence, la caserne nous manque, et tout ce qui la rappelle nous est cher!...

*

Huit heures sonnent au village. Pistolet, sans lâcher ses baguettes, s'est mis en route pour rentrer... On l'entend descendre sous le bois, jouant toujours... Et moi, couché dans l'herbe, malade de nostalgie, je crois voir, au bruit du tambour qui s'éloigne, tout mon Paris défiler entre les pins...

Ah! Paris!... Paris!... Toujours Paris!

TABLE

IMPRIMÉ EN FRANCE PAR BRODARD ET TAUPIN
6, place d'Alleray - Paris.
Usine de La Flèche, le 30-05-1970.
1428-5 - Dépôt légal n° 9296, 2ᵉ trimestre 1970.
1ᵉʳ Dépôt : 3ᵉ trimestre 1961.
LE LIVRE DE POCHE - 6, avenue Pierre 1ᵉʳ de Serbie - Paris.
30 - 11 - 0848 - 13

Le Livre de Poche historique

(Histoire, biographies)

Le Livre de Poche pratique

Voici, sous une présentation claire et aérée, une série nouvelle ‹ *"guides de poche", d'un genre très nouveau.*
Chaque volume est une véritable encyclopédie, à la fois complète *d'accès pratique.*
Ces ouvrages sont imprimés sur beau papier, parfois illustrés, parfoi *même en couleurs, si la clarté du texte le demande.*

Le Livre de Poche
classique relié